S0-BJW-435

Méthode de lecture

Guide pour les parents

- Mode d'emploi de la méthode de lecture
- L'apprentissage de la lecture
- Aider votre enfant à apprendre à lire

En complément de la méthode, vous pouvez vous procurer le cahier d'*Activités de lecture* : plus de 260 exercices pour s'entraîner à lire.

Mode d'emploi
de la méthode de lecture

En suivant cette méthode, votre enfant progressera en lecture, tout en acquérant les bonnes bases. En compagnie de Lila et de Noé, il découvrira les sons, décodera les syllabes et lira ses premières histoires. Suivez les conseils qui vous sont adressés pour accompagner au mieux votre enfant vers la lecture.

Un son nouveau à chaque page

1 Voir et mémoriser

Le son étudié est associé à **un dessin et à un mot repère** pour aider votre enfant à le mémoriser.

2 Observer

Une illustration où votre enfant **cherche** des mots contenant le son étudié et les **nomme** à haute voix.

3 Lire des syllabes

À l'aide de dominos, votre enfant associe visuellement des lettres et **construit des syllabes**.

4 Lire des groupes de mots

L'**espacement des syllabes** permet à votre enfant de mieux repérer la construction des mots.

5 Lire des textes

Des **phrases ou des textes** très courts mettant en scène **Lila et Noé**.

6 Lire dans une autre écriture

Une phrase écrite en **écriture cursive** pour habituer votre enfant à lire dans une écriture manuscrite.

Des conseils pour les parents

Des **explications** pour aider votre enfant à progresser.

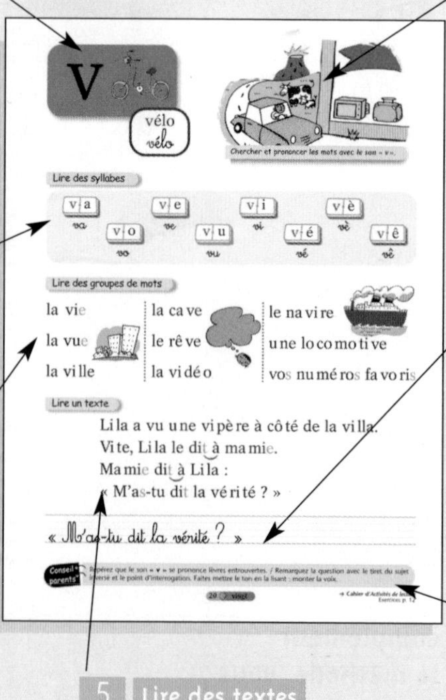
V vélo
vélo

Chercher et prononcer les mots avec le son « v ».

Lire des syllabes

va ve vi vè vo vu vé vê

Lire des groupes de mots

la vie	la ca ve	le na vi re
la vue	le rê ve	une lo co mo ti ve
la vi lle	la vi déo	vos nu mé ros fa vo ris

Lire un texte

Li la a vu u ne vi pè re à cô té de la vi lla.
Vi te, Li la le dit à ma mie.
Ma mie dit à Li la :
« M'as-tu dit la vé ri té ? »

« M'as-tu dit la vérité ? »

20 vingt

Des textes progressifs

Les aventures de Lila et Noé

Des **textes plus longs** ponctuent la méthode (comptine, lettre, petites histoires).

Véritables **petits bilans,** ces histoires feront **appel à tous les acquis** de votre enfant.

Présentez-lui ce moment comme **une récompense** pour tous les efforts accomplis et **valorisez** ses réussites.

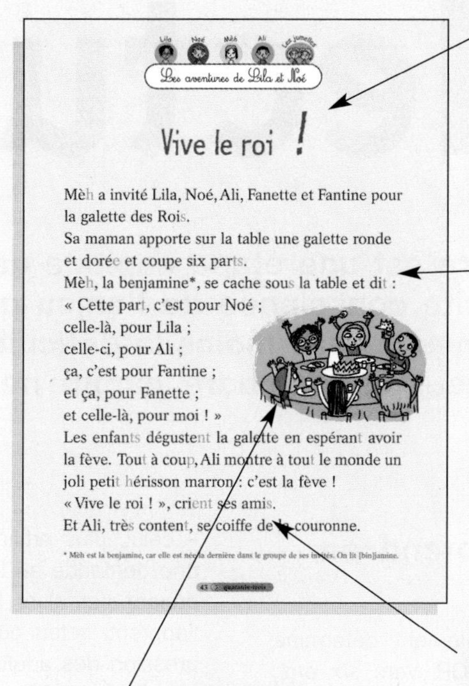

Lila Noé Mèh Ali Les jumelles

Les aventures de Lila et Noé

Vive le roi !

Mèh a invité Lila, Noé, Ali, Fanette et Fantine pour la galette des Rois.
Sa maman apporte sur la table une galette ronde et dorée et coupe six parts.
Mèh, la benjamine*, se cache sous la table et dit :
« Cette part, c'est pour Noé ;
celle-là, pour Lila ;
celle-ci, pour Ali ;
ça, c'est pour Fantine ;
et ça, pour Fanette ;
et celle-là, pour moi ! »
Les enfants dégustent la galette en espérant avoir la fève. Tout à coup, Ali montre à tout le monde un joli petit hérisson marron : c'est la fève !
« Vive le roi ! », crient ses amis.
Et Ali, très content, se coiffe de la couronne.

* Mèh est la benjamine, car elle est née la dernière dans le groupe de ses invités. On lit [bin]jamine.

1 Lire dans une autre écriture

Un titre écrit dans **une écriture originale** pour habituer votre enfant.

2 Lire une histoire

Une histoire **proche du quotidien** de votre enfant pour lui permettre de s'identifier aux personnages.

3 Lettres muettes

Les **lettres muettes** sont indiquées en bleu pour faciliter le décodage et l'accès au sens.

4 Commenter les illustrations

Des **illustrations** que votre enfant **observe** et **commente**.

Une grande histoire à lire tout seul

La kermesse de l'école

À la fin de la méthode, votre enfant est capable de lire seul sa première grande histoire.

Partagez avec lui ce moment privilégié de découverte en lui proposant **une lecture à plusieurs voix** à chaque fois que cela se présente.

La kermesse de l'école

Noé, Ali, Mèh, les jumelles et moi, on s'est donné rendez-vous à neuf heures pour ne pas rater l'ouverture des portes. Comme il fait beau, les stands ont été installés dans la cour. Noé et moi, nous avons repéré tout de suite le stand tenu par nos papas.
« Venez, on va à la pêche à la ligne ! », dit Noé.
Là, en échange d'un ticket, chacun reçoit une canne à pêche.
« Il faut pêcher cinq canards pour avoir un cadeau, annonce mon père.
– J'en ai un !, crie Ali.
– Moi aussi ! », répond Fantine.
Moi, je n'ai rien dit, mais j'ai gagné un cadeau : un tube rempli de produit pour faire des bulles.
« Tu me le prêteras ?, demande Noé qui n'a rien gagné.
– Bien sûr ! »

Le cahier d'activités

À chaque page de la méthode, vous trouverez un renvoi à des exercices complémentaires dans le cahier d'*Activités de lecture*.

L'apprentissage de la lecture

Apprendre à lire est une étape capitale dans la vie d'un enfant. S'il a vite conscience de l'enjeu que cela représente, il n'en mesure pas moins la difficulté. En effet, sa motivation ne peut tout résoudre, car lire ne s'apprend pas tout seul.

À quel âge apprend-on à lire ?

Celui-ci est socialement déterminé par l'entrée au CP, vers six ans, mais c'est plus tôt que l'enfant entre dans le monde de l'écrit. En famille ou à l'école maternelle, il acquiert les techniques nécessaires à son futur apprentissage : observation, mémorisation, comparaison, reconnaissance auditive et visuelle... Il enrichit son vocabulaire et parfait son langage. Vers six ans, il est généralement prêt à utiliser une méthode de lecture.
Une des missions de l'école est de mettre en œuvre au CP les démarches pédagogiques pour apprendre à lire à chaque enfant d'une tranche d'âge en consacrant chaque jour 2 h 30 à la lecture et à l'écriture.

L'apprentissage précoce

Apprendre à lire avant six ans est généralement qualifié de précoce. Il faut toutefois bien distinguer deux cas :
– celui où l'enfant montre spontanément un vif désir d'apprendre. Pour répondre à sa soif de découverte, appuyez-vous sur un support d'apprentissage et veillez à vous adapter à son rythme et à ses envies tout en tenant compte de votre disponibilité.
– celui, plus artificiel, où l'adulte suscite une demande au lieu de la satisfaire. Le danger est alors la « robotisation » de l'apprenti lecteur contraint de répondre à la pression des adultes même s'il ne paraît pas s'en plaindre. Il gardera de cet apprentissage un souvenir sans plaisir avec le risque de ne pas « aimer lire ».

Respecter le rythme de l'enfant

Surtout s'il est demandeur, il n'y a aucune raison d'empêcher un enfant d'apprendre à lire avant son entrée au CP. Attention toutefois à respecter certaines règles et à ne pas vouloir griller les étapes.
Nombre de parents qui ont un enfant qui sait lire avant son entrée au CP envisagent de lui faire « sauter » cette classe. Ceci n'est pas forcément opportun. Cette décision doit impérativement être appuyée par l'équipe pédagogique de l'école. Le plus souvent, le psychologue scolaire rencontre l'enfant pour évaluer son niveau de maturité en lecture et dans les autres domaines. Puis, sur proposition de l'enseignant de maternelle, le passage anticipé est débattu avec tous les maîtres en conseil de cycle. La décision est enfin communiquée aux parents.

Donner le goût de lire

Les Instructions Officielles de l'Éducation nationale recommandent d'étaler l'apprentissage sur trois années scolaires : activités de préparation à la lecture en Grande Section, puis apprentissage systématique en CP et en CE1. L'objectif ambitieux est « de conduire chacun à vouloir lire, à savoir lire mais aussi à aimer lire ».

Tout en respectant le rythme propre à chaque enfant, il s'avère aussi nécessaire de fournir au jeune lecteur les moyens de progresser : exercices de lecture, activités motivantes... Dans ces conditions, il apprendra à lire en deux ou trois ans et il y aura pris du plaisir.

Le « déclic »

Tous les parents ont été, un jour ou l'autre, confrontés à ce phénomène : subitement et de manière imprévisible, l'attitude de leur enfant face à la lecture change. Il semble dégagé de toute gêne et découvre même seul des étapes non étudiées qu'il franchit avec succès. Aussi surprenant que cela puisse paraître, ce comportement est pourtant parfaitement naturel : c'est le fameux « déclic ».

Il s'agit en fait de la connexion des nombreuses opérations mentales nécessaires pour lire. Le cerveau, entraîné et conforté par les réussites, met en œuvre les bonnes stratégies analogiques et déductives.

L'enfant change alors de statut : d'apprenti lecteur, il devient lecteur. Cela ne veut pas dire pour autant que le chemin à parcourir s'arrête là. Il s'agit maintenant de pouvoir tout lire et d'en tirer profit. Les difficultés ne sont plus les mêmes, mais le travail à fournir n'en sera pas moindre.

Une des clés de la réussite : apprendre dans un climat affectif favorable.

Que faire si le déclic tarde à venir ?

Tout d'abord, évitez toute comparaison : deux enfants d'une même classe, l'aîné qui savait lire à l'âge du petit dernier... Rappelez-vous que lire, c'est aussi grandir, et que les enfants ne grandissent pas à dates fixes.

De plus, inutile de vous angoisser. Votre anxiété peut rejaillir sur votre enfant alors qu'il a besoin de toute votre confiance.

Aucun apprentissage n'est aussi chargé d'affectif que la lecture. C'est la raison pour laquelle vous devrez faire preuve de patience et encourager les acquis et les progrès de votre enfant.

Veillez à vous montrer présents sans être pressants. Ce qui compte, ce n'est pas de courir après le déclic, mais bien que votre enfant sache lire et y prenne plaisir.

Aider votre enfant à apprendre à lire

Parce qu'il symbolise le confort et la sécurité, le domicile est un lieu privilégié pour l'apprenti lecteur. Vous, parents, avez bien entendu un rôle capital à jouer, non seulement par le biais des histoires que vous lui lirez, mais aussi en prenant part à son apprentissage.

Lire à la maison

Le cadre familial se prête tout à fait à l'apprentissage de la lecture car il permet de s'entraîner sans stress. L'important est de trouver un support d'apprentissage complémentaire à celui que votre enfant utilise en classe avec son instituteur.

Que disent les Instructions Officielles ?

Depuis 2006, les programmes officiels de l'Éducation nationale précisent que l'apprentissage de la lecture passe :
– par le décodage et l'identification des mots conduisant à leur compréhension ;
– par l'acquisition progressive des démarches, des compétences et des connaissances nécessaires à la compréhension.
L'enfant doit ainsi pouvoir passer rapidement d'une lecture mot à mot à la lecture de phrases puis de textes.

Utiliser la *Méthode de lecture avec Lila et Noé*

Cette méthode syllabique donne à votre enfant les moyens d'identifier les sons, de construire des syllabes, de lire des mots, des phrases puis des textes. Grâce à une démarche progressive, logique et ludique, elle offre au lecteur débutant les clés du déchiffrage, de la signification des mots et de l'organisation de l'écrit (majuscules, ponctuation, lettres muettes). Cette méthode prend en compte les acquis au fur et à mesure de l'apprentissage. À chaque nouvelle page, votre enfant est capable de tout lire.

Diversifier les supports de lecture

Très rapidement, il s'avèrera nécessaire de diversifier les supports de lecture. Toutes les occasions sont bonnes : la consultation du dictionnaire, les courses au supermarché (lecture des promotions, de la liste des achats), etc., car il ne faut pas perdre de vue que la lecture est omniprésente dans nos vies, que ce soit sur les affiches publicitaires, les enseignes de magasins ou même à la télévision.
Puis viendra le moment de passer à des textes plus longs. La littérature jeunesse

Lecture et ordinateur

Il n'y a pas de différence fondamentale entre la lecture à l'écran et la lecture traditionnelle. Veillez cependant à placer l'écran d'ordinateur perpendiculairement aux sources lumineuses.

est foisonnante, elle offre un large choix d'ouvrages dont il faudra faire profiter votre enfant.

Les règles à respecter

Adoptez quelques règles simples pour que votre enfant prenne de bonnes habitudes de lecture :
– Efforcez-vous de bien prononcer les liaisons en vous adressant à lui (ex. : tu es ici chez toi).
– Sachez repérer les moments opportuns pour la lecture : après le goûter, avant de dormir…
– Ne fixez pas de date « butoir » pour terminer un livre et acceptez que votre enfant n'ait pas envie de finir l'ouvrage.
– Évitez de transformer la séance de lecture en interrogatoire !
– N'imposez aucun type de livre. Si votre enfant aime les bandes dessinées, laissez-le faire et proposez-lui, à l'occasion, un autre genre d'ouvrage.

Lire à haute voix

Lire à haute voix aidera votre enfant à mieux faire les liaisons entre les mots, mais aussi à traduire la ponctuation en mettant l'intonation.
Ainsi, il aura une meilleure compréhension des phrases. En s'entraînant régulièrement, il gagnera de l'assurance à l'oral, une des priorités imposées par les nouveaux programmes.
N'hésitez pas à proposer à votre enfant une lecture à plusieux voix. Cela lui permettra de mieux appréhender le dialogue et vous réservera sûrement de délicieux moments de complicité.

La lecture, un royaume infini

Savoir lire, c'est être capable de s'approprier les messages d'autrui et d'en renvoyer d'autres, mais c'est aussi grandir dans le monde du rêve et de la connaissance.
Aider son enfant à apprendre à lire est un des plus beaux cadeaux que l'on puisse lui offrir. C'est lui donner les clés d'un royaume d'une richesse illimitée où les lectures évoluent à travers les différentes étapes de la vie. En ce sens, il n'est pas faux de dire que l'on n'a jamais fini d'apprendre à lire et que la lecture, cette merveilleuse compagne, suivra le lecteur tout au long de son existence.

La lecture à plusieurs voix est un agréable moment de complicité entre l'adulte et l'enfant.

À quel moment et à quelle fréquence est-il préférable d'utiliser cette méthode de lecture?

Il est important de respecter la disponibilité des enfants, mais aussi la vôtre ! Deux ou trois séances hebdomadaires suffisent. Veillez cependant à bien les répartir dans la semaine, par exemple le mercredi et le week-end ou pendant les vacances scolaires. Laissez également à votre enfant le temps nécessaire à l'assimilation de sa leçon.
Inutile de le faire travailler plus de 30 minutes. Au-delà, il devient très difficile de rester motivé et concentré.

Le vocabulaire de la lecture

Graphème

Unité minimale de l'écriture en liaison avec un phonème. Ex. : le son [o] peut s'écrire : o, eau, au...

Phonème

Élément sonore du langage articulé. Ex. : je prononce [o].

Code

Ensemble des règles de lecture. Il s'agit d'une part de l'association des sons pour former des syllabes que l'on retrouve dans les mots, d'autre part, de la relation entre le sens et les marques grammaticales (ponctuation, lettres muettes, genre des noms, temps des verbes...).

Dyslexie

« Trouble de la capacité à lire ou difficulté à reconnaître et à reproduire le langage écrit », selon Le Robert, la dyslexie est connue depuis longtemps mais elle est moins fréquente qu'on le croit. Son dépistage se fait en milieu scolaire. Le cas échéant, vous serez guidés vers un psychologue et un orthophoniste.

Illettrisme

Se dit d'un enfant qui a appris le code mais qui, pour de multiples raisons, a désappris à lire. Il n'arrive plus à comprendre ni à transcrire un message. En France, le taux d'illettrés devient alarmant.

Analphabétisme

Se dit d'un enfant incapable d'associer des syllabes pour en faire des mots, puis des sons. Cela n'existe quasiment plus en France.

Graphisme : C. Jégou - Crédits photos © 2008 Jupiterimages France

J'apprends à lire à la maison

Marie-Christine Olivier
Conseillère pédagogique

Illustrations
Vincent Bergier

www.methodesbordas.fr

Abécédaire

A a

B b

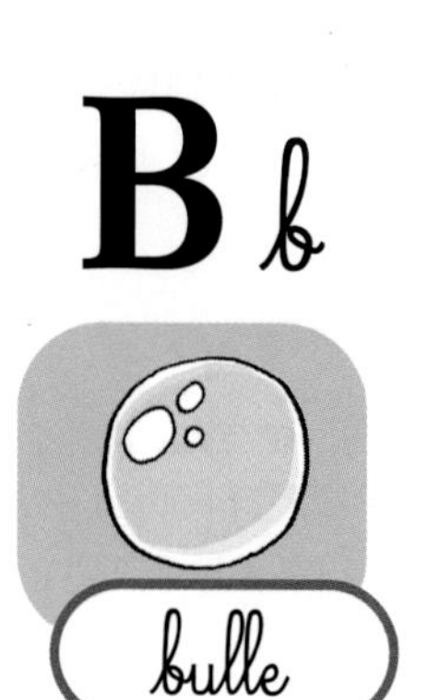

C c

D d

E e

F f

G g

H h

I i

J j

K k

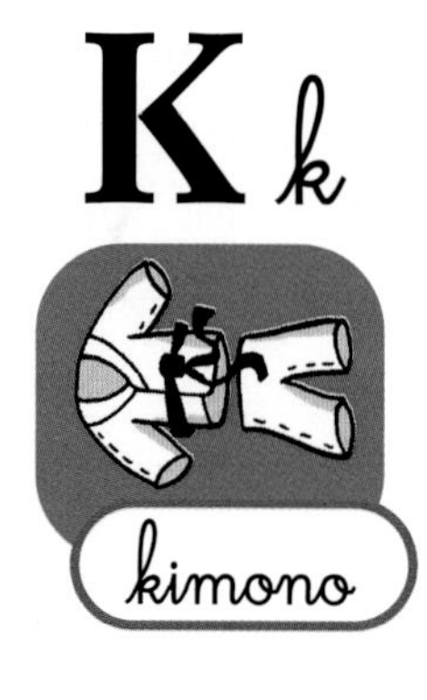

L l

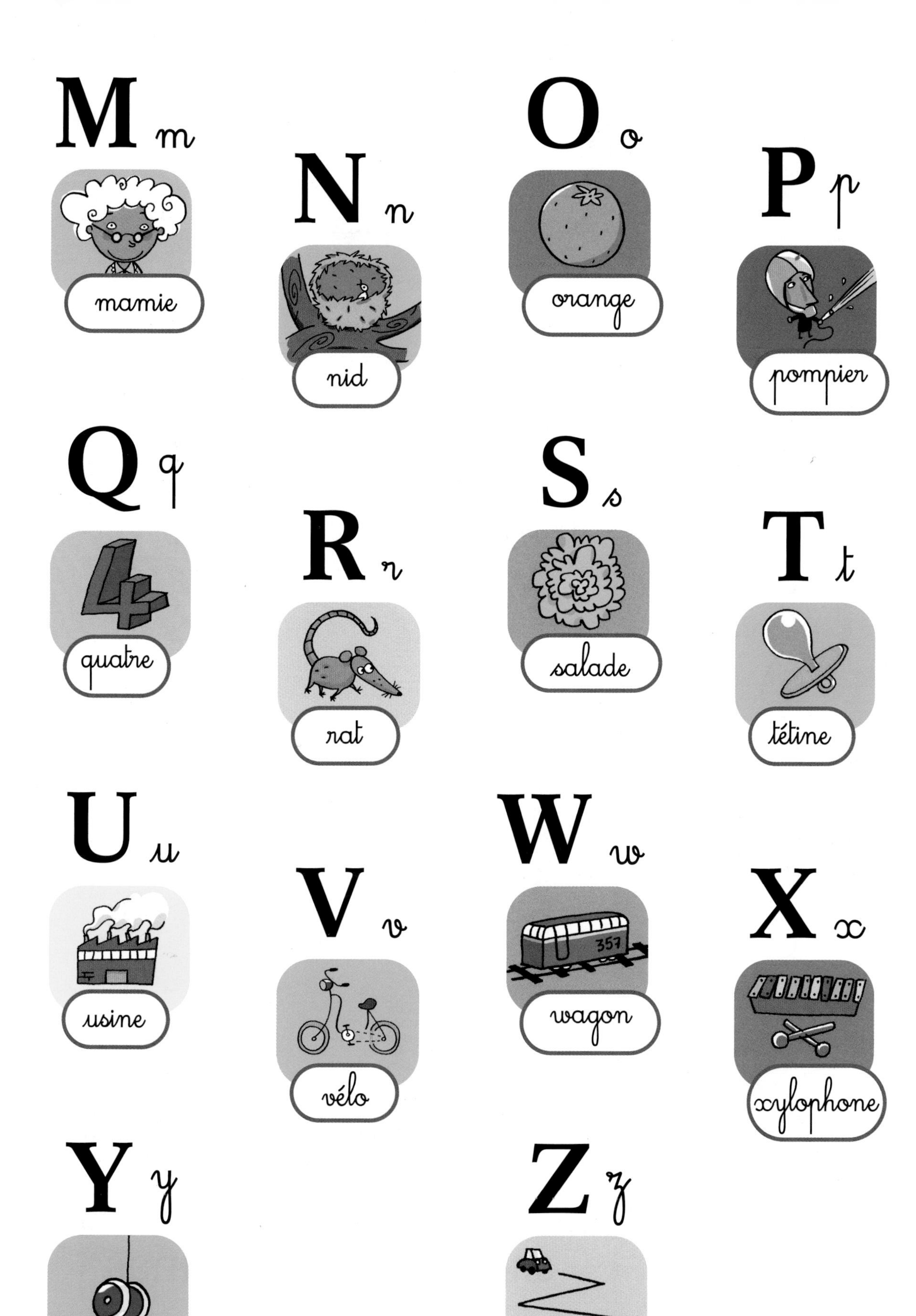

M m
mamie
N n
nid
O o
orange
P p
pompier
Q q
quatre
R r
rat
S s
salade
T t
tétine
U u
usine
V v
vélo
W w
357
wagon
X x
xylophone
Y y
yoyo
Z z
zigzag

a

avion

avion

Chercher et prononcer les mots avec ***le son « a »***.

chat

vache

girafe

âne

canard

caméra

cartable

lapin

samedi

ananas

Conseil parents L'enfant doit regarder l'illustration avant de dire le mot en pointant du doigt la lettre étudiée. Faites-lui remarquer que dans certains mots, **a** s'écrit avec un accent circonflexe *(âne)* ou un accent grave *(à)*.

→ **Cahier d'*Activités de lecture***
Exercices p. 4

Chercher et prononcer les mots avec ***le son « u »***.

fusée

fusée

mur

ruche

nuage

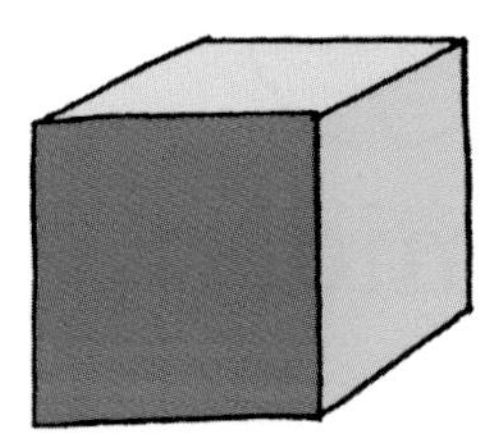

cube

flûte

voiture

lunettes

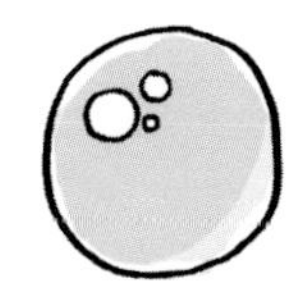

bulle

fumée

parachute

L'enfant doit regarder l'illustration avant de dire le mot en pointant du doigt la lettre étudiée. Faites-lui remarquer que dans certains mots, **u** s'écrit avec un accent circonflexe *(flûte)*.

→ **Cahier d'*Activités de lecture***
Exercices p. 4

Chercher et prononcer les mots avec ***le son « i »***.

lit

île

maïs

midi

tigre

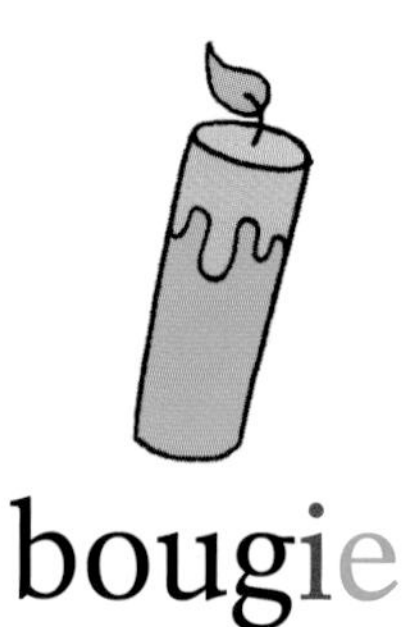

bougie

image

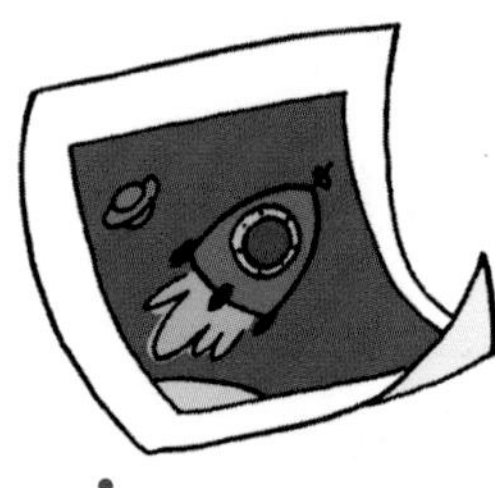

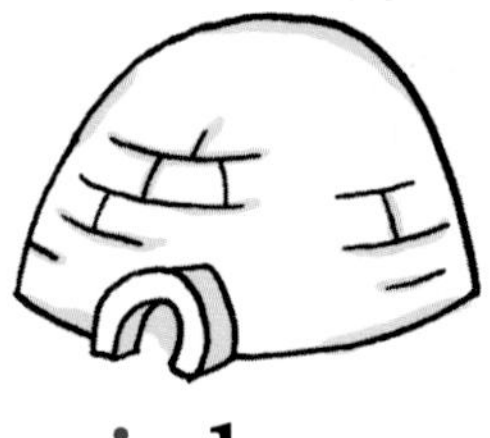

igloo

souris

piscine

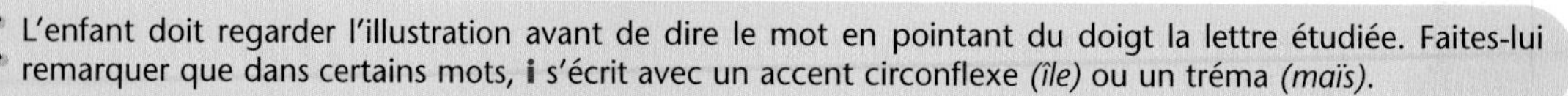

Conseil parents L'enfant doit regarder l'illustration avant de dire le mot en pointant du doigt la lettre étudiée. Faites-lui remarquer que dans certains mots, **i** s'écrit avec un accent circonflexe *(île)* ou un tréma *(maïs)*.

→ Cahier d'*Activités de lecture*
Exercices p. 5

moto *moto*

Chercher et prononcer les mots avec ***le son « o »***.

vélo

domino

cloche

photo

fantôme

orange

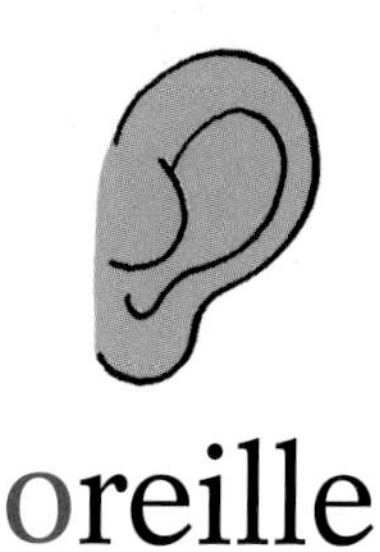

oreille

robot

coq

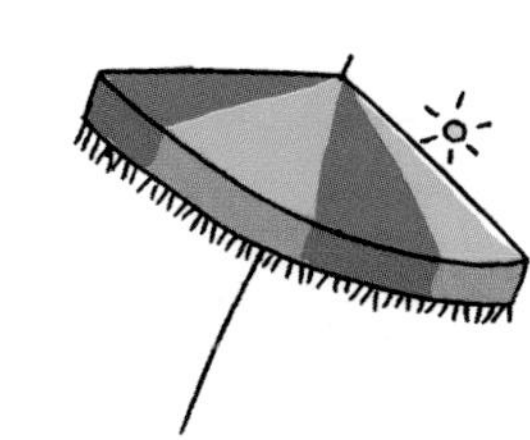

parasol

L'enfant doit regarder l'illustration avant de dire le mot en pointant du doigt la lettre étudiée. Faites-lui remarquer que dans certains mots, **o** s'écrit avec un accent circonflexe *(fantôme)*. / Dans certaines régions, le son **« o »** se prononce plutôt comme dans *moto* ou comme dans *cloche*.

→ Cahier d'*Activités de lecture*
Exercices p. 5

Chercher et prononcer les mots avec ***le son « e »***.

melon

genou

grenouille

cheval

rouge

pelote

pelouse

renard

chenille

téléphone

Conseil parents Placée à la fin du mot, la lettre **e** n'est généralement pas prononcée de manière appuyée. / Faites remarquer à l'enfant qu'avec un accent, la lettre **e** ne se prononce plus **« e »** *(téléphone)*.

→ **Cahier d'*Activités de lecture***
Exercices p. 6

Chercher et prononcer les mots avec ***le son « é »***.

épée

épée

dé

clé

carré

bébé

télévision

poupée

étoile

tétine

cheminée

éléphant

Insistez sur le sens de l'accent aigu. Demandez à l'enfant de repasser avec le doigt (↙) en prononçant **« é »**. / Faites-lui remarquer qu'on ne lit pas les lettres finales de certains mots. Dans ce livre, elles sont écrites en bleu. Toutefois, elles sont utiles pour repérer le genre féminin, le pluriel ou la famille du mot.

→ **Cahier d'*Activités de lecture***
Exercices p. 6

Chercher et prononcer les mots avec ***le son « l »***.

Lire des syllabes

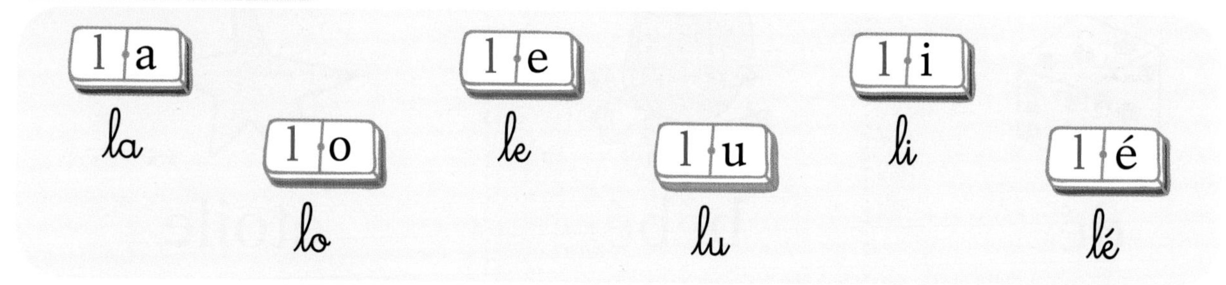

Lire des groupes de mots

le lit | le lilas | l'île

Lire des phrases

Ali lit.

Lila a lu.

Lila a lu.

Le domino permet de visualiser la construction de la syllabe abordée avec l'étude du « **l** ». Elle est matérialisée par un espace dans la lecture. / Repérez le **l'**.

→ Cahier d'*Activités de lecture*
Exercices p. 7

Chercher et prononcer les mots avec ***le son* « *r* »**.

Lire des syllabes

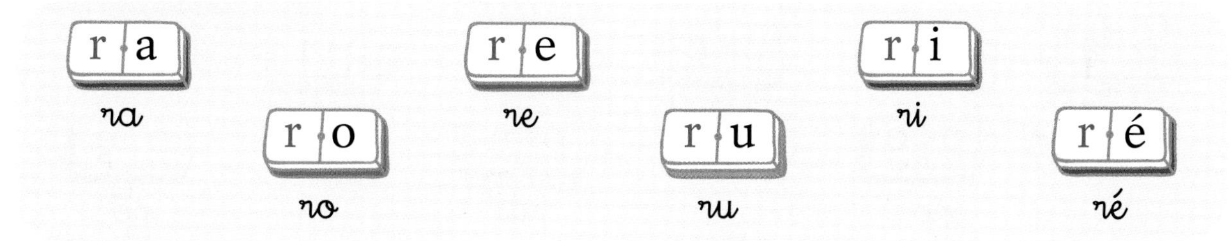

Lire des groupes de mots

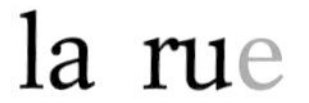

la rue

rire

le ara

Lire des phrases

Lila rit.

Ali a ri.

Ali et Lila rient.

Ali a ri.

Entraînez l'enfant à lire chaque mot d'une phrase en le retenant, puis la phrase en entier avec l'intonation. Présentez le petit mot *et* qui se lit **« é »** comme une exception.

→ **Cahier d'*Activités de lecture***
Exercices p. 7

Chercher et prononcer les mots avec ***le son « p »***.

Lire des syllabes

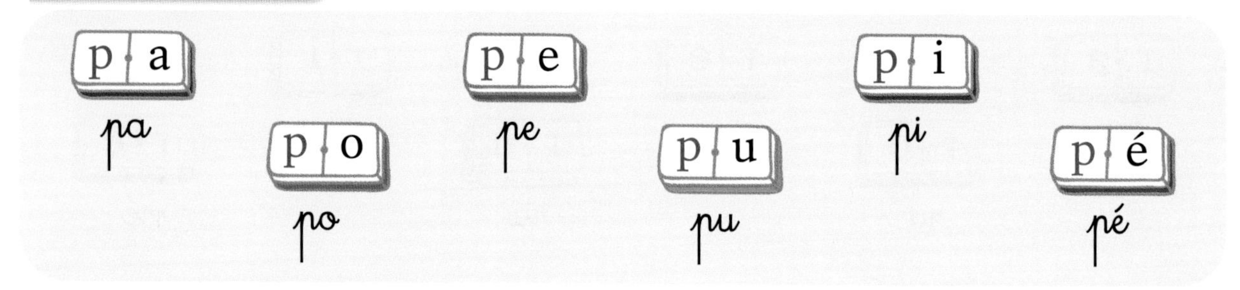

Lire des groupes de mots

la pie

la pile

papa

papi

la purée

le pull

le pas

la pilule

Lire des phrases

Ali répare le pot.

Lila est polie.

Lila est pâle.

Lila est pâle.

Afin de prévenir l'éventuelle confusion entre **« p »** et **« b »**, faites suivre le tracé du P avec le doigt et prononcez le son **« p »** avec la paume de la main contre la bouche pour ressentir le souffle. / Présentez *est* en disant qu'il se prononce **« è »**. Remarquez que les doubles lettres ne changent pas le son.

→ **Cahier d'*Activités de lecture***
Exercices p. 8

Chercher et prononcer les mots avec ***le son « n »***.

Lire des syllabes

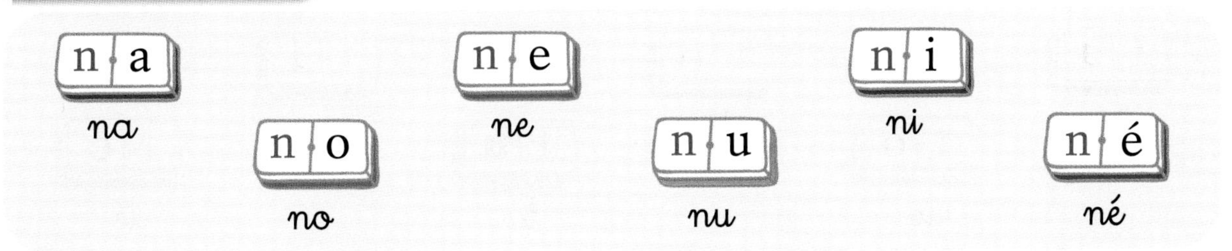

Lire des groupes de mots

l'âne

une année

une nappe

Lire des phrases

Ali a ri.

Lila n'a pas ri.

Noé a une épée.

Noé a une épée.

Pour prévenir l'éventuelle confusion entre **« n »** et **« m »**, repérez qu'il faut un pont pour tracer le **n** et que le son produit vient du nez.

→ **Cahier d'*Activités de lecture***
Exercices p. 8

Chercher et prononcer les mots avec ***le son « t »***.

Lire des syllabes

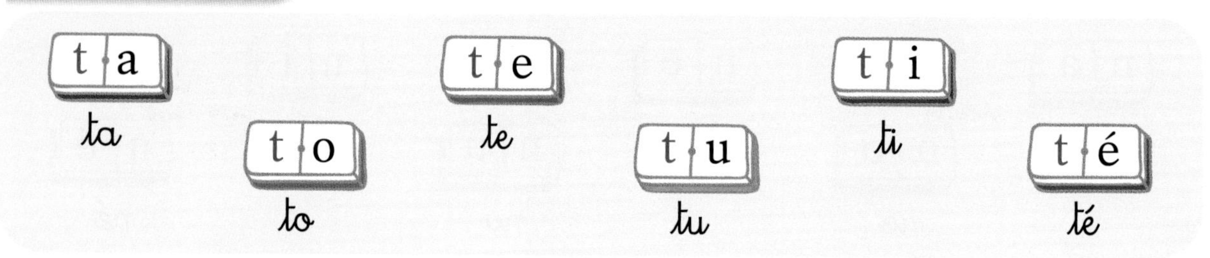

Lire des groupes de mots

le tas

le tapis

l'été

le pirate

une patte

le pâté

la tulipe

la tirelire

une pelote

Lire des phrases

Noé a tapé le petit âne.

Lila n'est pas petite.

Lila a une natte.

Noé a une tirelire.

Lila a une natte.

Conseil parents : Le son produit nécessite de pousser la langue vers les dents ; en prendre conscience aide à la mémorisation. / Pour que la liaison – matérialisée par un lien rouge ‿ – soit bien comprise, faites dire à haute voix le groupe de mots dans le langage courant.

→ Cahier d'*Activités de lecture*
Exercices p. 9

Chercher et prononcer les mots avec ***le son « k »***.

Lire des syllabes

ca

co

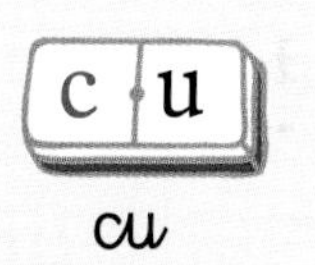

cu

Lire des groupes de mots

le colis

la cane 

le côté

le canot

le canapé

une culotte

de la colle

du coca-cola

une colline

Lire des phrases

Ali ira à l'école.

Lila n'ira pas à l'école.

Noé a une cape et une épée.

Lila colle le carré.

Ali ira à l'école.

Seul le son **« k »** est abordé avec la lettre **c**, le son **« s »** sera étudié page 37. / Précisez l'importance du tiret dans le mot *coca-cola*.

→ Cahier d'*Activités de lecture*
Exercices p. 9

Chercher et prononcer les mots avec ***le son « m »***.

Lire des syllabes

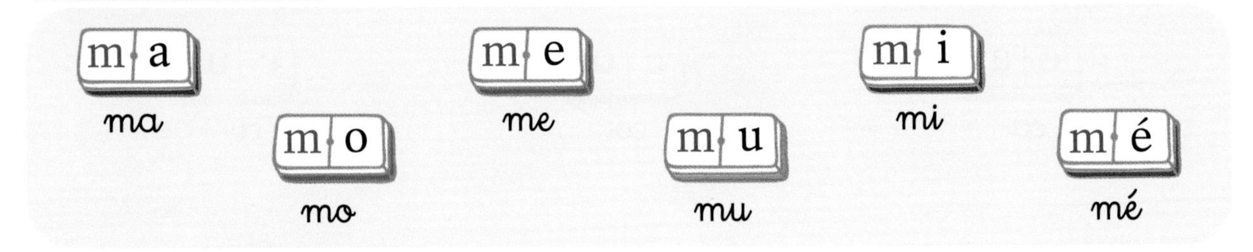

Lire des groupes de mots

la mule

mille

ma moto

une minute

la mare

une pomme

la tomate

le numéro

le matelas

Lire des phrases

Noé lit : « Le pirate a ramené une malle. »

À l'école, Lila a une amie.

Noé a une petite moto.

Le pirate a ramené une malle.

Pour faire la différence avec **n**, étudié page 13, repérez le tracé de la lettre **m** avec ses deux ponts et le son produit avec la bouche, les lèvres en avant. / Remarquez la virgule qui permet de reprendre son souffle dans une phrase sans baisser la voix.

→ Cahier d'*Activités de lecture*
Exercices p. 10

Chercher et prononcer les mots avec ***le son « d »***.

Lire des syllabes

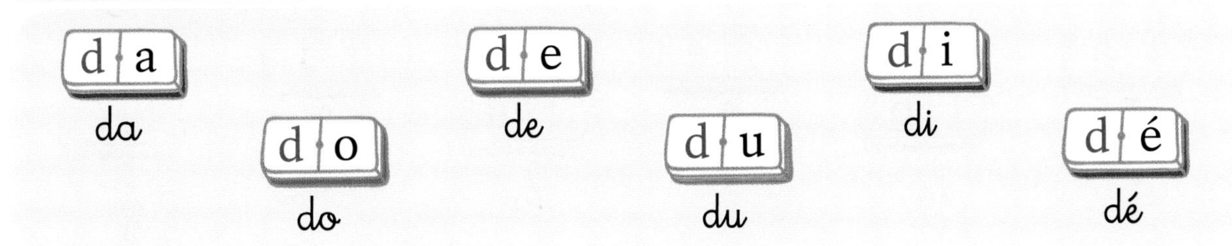

Lire des groupes de mots

le dé	dire	de la pommade
le dos	dure	de la limonade
midi	démoli	une maladie

Lire des phrases

Lila est une amie de Noé et d'Ali.

« As-tu donné une datte à Lila ? »,
dit Noé à Ali.

Lila dit à Noé : « Copie le mot météo. »

Lila est une amie de Noé et d'Ali.

Pour prévenir l'éventuelle confusion entre **« d »** et **« b »**, repérez que la lettre **d** a une bosse dans le dos.
Le dialogue est abordé : remarquez la disposition du texte (les deux points et les guillemets).

→ **Cahier d'*Activités de lecture***
Exercices p. 10

Chercher et prononcer les mots avec ***le son « f »***.

Lire des syllabes

Lire des groupes de mots

une file

de la fumée

du café

la fée

de la farine

la carafe

Lire un texte

Le papa de Noé a une bonne idée.
Papa a dit à Noé :
« Tu iras à la finale de football.
– Bonne idée ! », a dit Noé.

Tu iras à la finale de football.

Pour prévenir l'éventuelle confusion entre **« f »** et **« v »**, repérez que la lettre **f** monte et que le son produit permet de souffler sur une flamme. / Prononcez le mot *football* en expliquant qu'il est d'origine anglaise.

→ **Cahier d'*Activités de lecture***
Exercices p. 11

Chercher et prononcer les mots avec ***le son « è »***.

Lire des syllabes

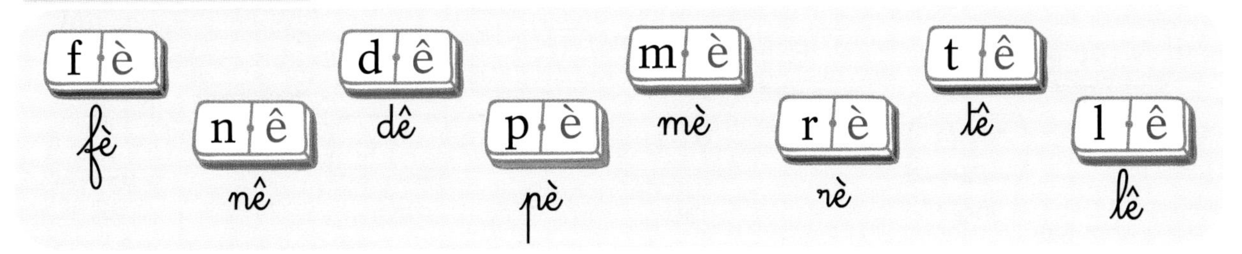

Lire des groupes de mots

la tête
fêlé
fidèle

la forêt
le mètre
une mêlée

la colère
le modèle
une arête

Lire un texte

Noé colorie le père Noël.
Mèh copie le modèle et colorie comme Noé.
Le père Noël est colorié.

Noé colorie le père Noël.

Conseil parents

Nommez les accents : **è** (grave) et **ê** (circonflexe) en suivant avec le doigt le sens du tracé. / Pour *Noël*, précisez que **ë** (tréma) fait **« è »** (cas très rare).

→ **Cahier d'*Activités de lecture***
Exercices p. 11

Chercher et prononcer les mots avec ***le son « v »***.

Lire des syllabes

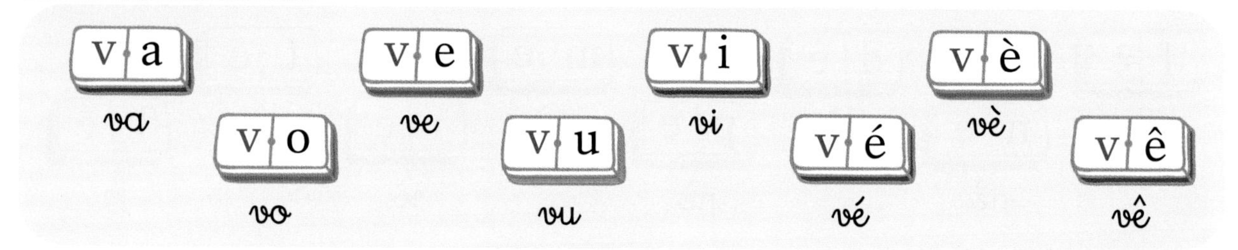

Lire des groupes de mots

la vie
la vue
la ville

la cave
le rêve
la vidéo

le navire
une locomotive
vos numéros favoris

Lire un texte

Lila a vu une vipère à côté de la villa.
Vite, Lila le dit à mamie.
Mamie dit à Lila :
« M'as-tu dit la vérité ? »

« M'as-tu dit la vérité ? »

Repérez que le son **« v »** se prononce lèvres entrouvertes. / Remarquez la question avec le tiret du sujet inversé et le point d'interrogation. Faites mettre le ton en la lisant : monter la voix.

→ Cahier d'*Activités de lecture*
Exercices p. 12

Chercher et prononcer les mots avec ***le son « s »***.

Lire des syllabes

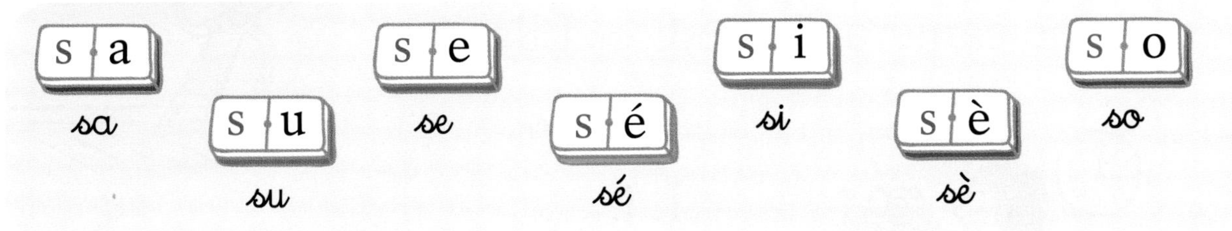

Lire des groupes de mots

sa le
sa lé
la sa la de
la so nne rie

une so le
la sé rie
sa me di
so li de

a ssis
une ta sse
du ti ssu
la pâ ti sse rie

Lire des phrases

No é se sa vo nne.

« Ne te sa lis pas ! », dit ma mie à Li la.

« Sa lut, dit No é à sa co pi ne Mèh. As-tu vu la vi dé o de *La Pe ti te Si rè ne* ? »

« As-tu vu la vidéo de La Petite Sirène ? »

Prononcez le son **« s »** en le faisant siffler. / Repérez la particularité des deux **s** en identifiant la voyelle devant et après les deux **s** (les cas sont soulignés). / Remarquez l'exclamation *Salut !* et faites lire avec l'intonation.

→ Cahier d'*Activités de lecture* Exercices p. 12

As-tu lu le poème de Noé ?

A, a, …
comme caméra, samedi et Lila.

I, i, …
comme midi, tirelire et Ali.

E, é, …
comme bébé, épée et Noé.

E, ê, …
comme fête, Noël et Mèh.

O, o, …
comme Théo, Léo et Mario.

Et U, u, …
comme « Tu l'as lu ! »

À l'écurie !

Le papi de Lila a une mule têtue.
« File à l'écurie ! », dit papi à Mado, sa mule.
Mado n'y va pas !

« Donne une petite carotte à Mado », dit papi à Lila.

Lila donne la carotte à Mado et la mule file à l'écurie.

Chercher et prononcer les mots avec ***le son « ou »***.

Lire des syllabes

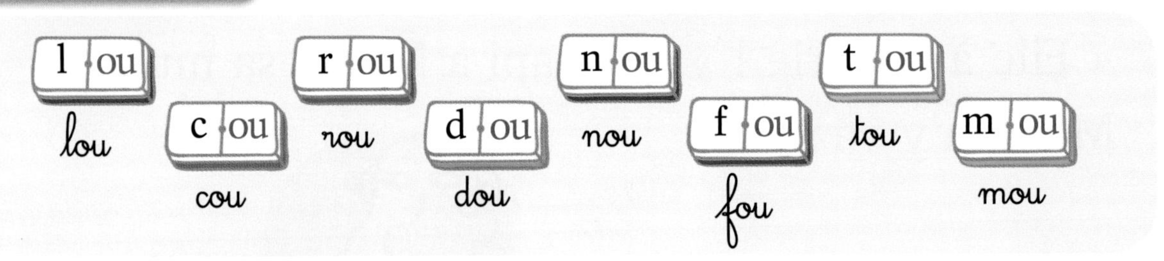

Lire des groupes de mots

le pou
la roue
la toux
le coup
hourra !

le coude
la route
la soupe
la souris
dessous

une moule
la mousse
une poupée
la couture
la petite poule rousse

Lire un texte

Le doudou de Lila roule, roule…
« Où files-tu si vite, Doudou ? », dit Lila.
Doudou a filé sous le canapé. Lila le retrouve tout sale. Lila le lavera.

« Le doudou de Lila roule, roule… »

Remarquez qu'il faut deux voyelles (**o** et **u**) pour faire **« ou »** et que l'on n'entend ni le **« o »** ni le **« u »**. / Précisez que le **h** de *hourra* ne s'entend pas : il est muet comme celui de *hibou*. / Repérez les trois points dans le texte *(roule…)* : ils indiquent le sens *(roule encore)* et permettent une pause dans la lecture.

→ Cahier d'*Activités de lecture*
Exercices p. 14

Chercher et prononcer les mots avec ***le son « b »***.

Lire des syllabes

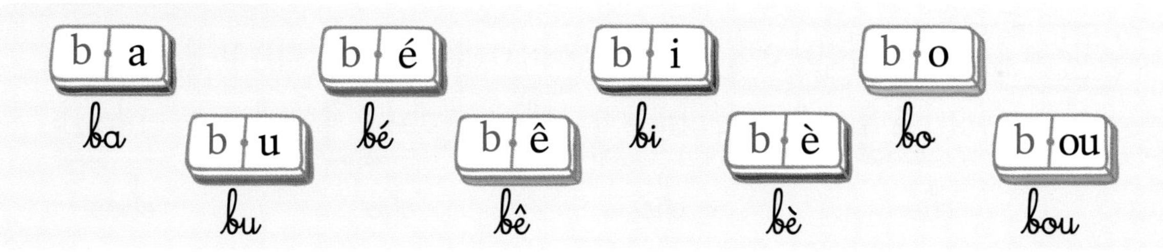

Lire des groupes de mots

le bo a
le bé bé
ma bou ée
la bou le
ta ba lle

une bê te
sa bo sse
le ro bot
le cu be
le tu be

la ba na ne
la ca ba ne
le la va bo
le bout de la rou te
la ca bi ne du na vi re

Lire des phrases

Mèh décode le rébus.
« Où est ma B.D. ?
– Là, à côté de la télé. »
Noé va lire sa B.D.

Mèh décode le rébus.

Repérez que **b** a le ventre en avant et faites repasser la lettre avec le doigt. / Pour le sigle *B.D.*, remarquez que l'on épelle les lettres séparées par un point. / Lisez le dialogue à deux voix.

→ Cahier d'*Activités de lecture*
Exercices p. 14

Chercher et prononcer les mots avec ***le son « ch »***.

Lire des syllabes

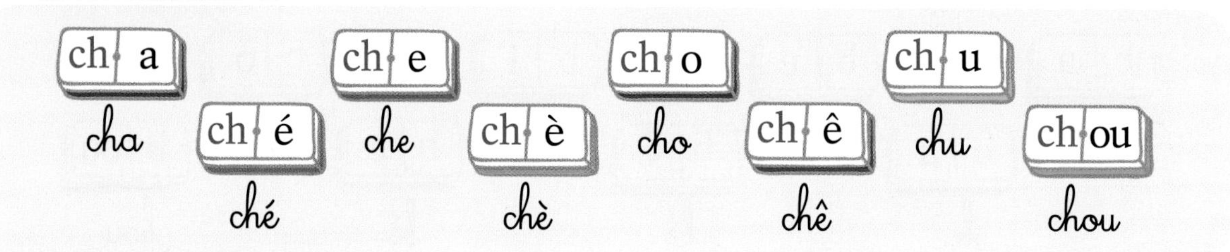

Lire des groupes de mots

une ruche
la niche
chiche !
ma chérie
une mèche

une poche
la boucherie
la machine
la péniche
l'affiche

une charade
du chocolat
la cheminée
ta chevelure
le parachute

Lire un texte

À la pêche

Noé pêche à côté de Lila.
Le fil de sa canne est solide.
Sous le chêne, le chiot de Lila se lèche une patte.

Sous le chêne, le chiot de Lila se lèche une patte.

Remarquez qu'il faut deux consonnes (**c** et **h**) pour faire le son « **ch** » et que l'on n'entend ni le « **c** » ni le « **h** ».

→ Cahier d'*Activités de lecture*
Exercices p. 15

Chercher et prononcer les mots avec ***le son « j »***.

Lire des syllabes

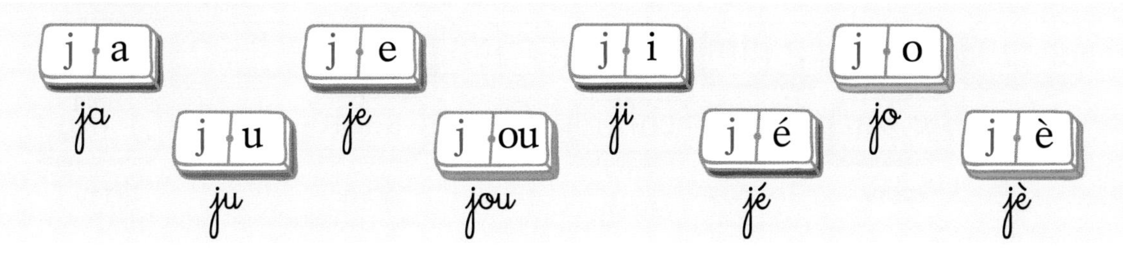

Lire des groupes de mots

ma ju pe
une je tée
du jus de ca ro tte
le jo li py ja ma

ja loux
le na ja
sa joue
du ju te

Lire un texte

Lila joue à la poupée.

« Tu as déjà sali le pyjama, dit Lila à Jade, sa poupée. Je te le retire. Je repasse ta petite jupe et tu seras toute jolie. »

La poupée de Lila a une jolie petite jupe.

Lila joue à la poupée.

Faites lire le texte à l'enfant avec l'intonation.

→ Cahier d'*Activités de lecture*
Exercices p. 15

Chercher et prononcer les mots avec ***le son « an »***.

Lire des syllabes

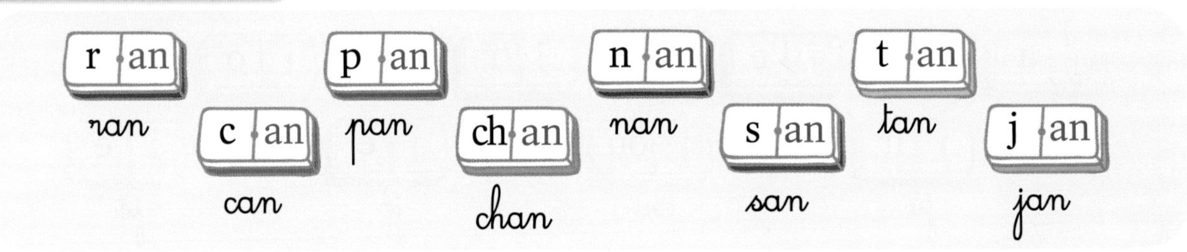

Lire des groupes de mots

le rang
la dan se
de vant
ma man

le vo lant
la fan fa re
l'an ti lo pe
la man da ri ne

ma jam be
le bam bou
une lam pe
le vam pi re

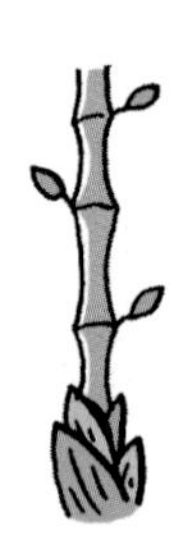

Lire un texte

Choupa le mini-fantôme joue à cache-cache.

Le dimanche de la bonne année, Choupa s'est caché dans la poche de la robe de Lila.

Tout à coup, Choupa a dit : « Bonne année ! Bonne année ! »

« J'ai rêvé, s'est dit Lila, ma poche n'a pas pu dire "Bonne année ! Bonne année !" »

Choupa le mini-fantôme joue à cache-cache.

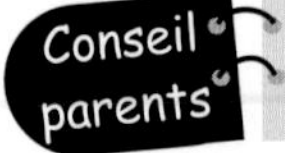

Remarquez qu'il faut d'abord une voyelle (**a**), puis une consonne (**n**) pour faire le son **« an »** et que l'on n'entend ni le **« a »** ni le **« n »**. / Repérez la particularité du **m** à la place du **n** en faisant identifier la lettre qui suit dans chaque cas (*b* ou *p*).

→ Cahier d'*Activités de lecture*
Exercices p. 16

Chercher et prononcer les mots avec ***le son « en »***.

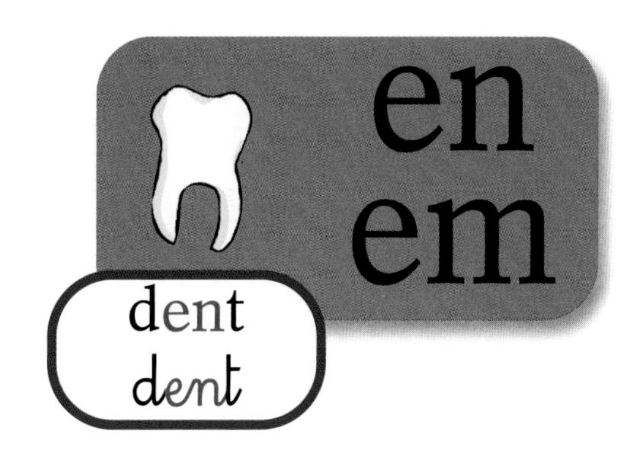

Lire des syllabes

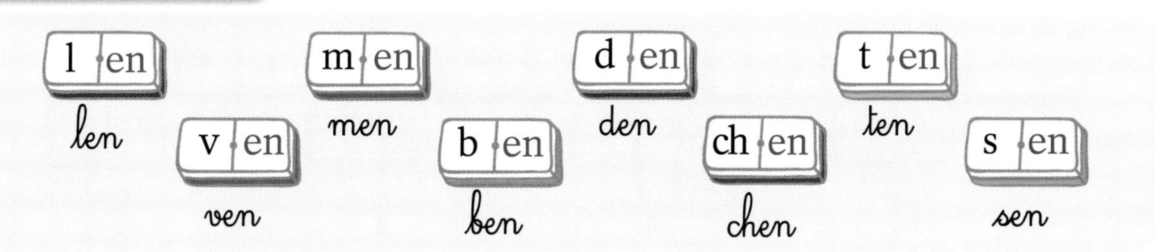

Lire des groupes de mots

la pen te
la ten te
sou vent
va-t'en !

la men the
une en di ve
en co re
l'en ve lo ppe

em ba llé
em me né
la tem pê te
de temps en temps

Lire un texte

Noé est enrhumé.

Sa maman touche sa joue et dit :
« Tu as sûrement de la température. Tu n'iras pas à l'école. »
Maman donne à Noé un médicament.
Lila arrive et demande à Noé :
« Comment te sens-tu ? »

Noé est enrhumé.

Remarquez que le son étudié page 28 peut aussi s'écrire **en** dans **d'autres mots**. / Repérez la particularité du **m** devant *m*, *b* ou *p*.

→ Cahier d'*Activités de lecture*
Exercices p. 16

Chercher et prononcer les mots avec ***le son* « *g* »**.

Lire des syllabes

Lire des groupes de mots

le gant
le goût
une goutte
le gag rigolo

la galerie
le légume
le goéland
le galop de l'âne

du gui
une bague
ta langue
une guitare

Lire un texte

« Lila, as-tu goûté la figue ?, demande Ali.
– Oui, et je me régale. Donne-m'en encore une ! »
Une guêpe rôde à côté de la coupe de figues.
« Gare à la guêpe ! », recommande Lila à Ali.
Ali recule, attend un moment et la guêpe s'envole.

Une guêpe rôde à côté de la coupe de figues.

Le son **« g »** s'écrit avec **g** devant *a, o, u.* / Repérez la particularité du **gu** devant *e, i* et *y.*

→ Cahier d'*Activités de lecture*
Exercices p. 17

Chercher et prononcer les mots avec *le son « on »*.

Lire des syllabes

Lire des groupes de mots

le pont
le thon
du savon
le salon

son bouton
le tire-bouchon
le long bâton
de la confiture de melon

la tombola
le pompon
la comptine
la colombe

Lire un texte

Noé et Ali jouent au foot. Tout à coup, le ballon rond rebondit et dévale la pente en roulant dans la boue. En le ramassant, Noé salit le bas de son pantalon marron.
« Tu as taché ton pantalon. Ta maman sera fâchée, dit Ali.
– Non, sûrement pas ! », répond Noé.

Tout à coup, le ballon rond rebondit.

Remarquez qu'il faut deux lettres pour faire le son **« on »** : d'abord une voyelle (**o**), puis une consonne (**n**) et que l'on n'entend ni le **« o »** ni le **« n »**. / Repérez la particularité du **m** devant *b*, *p* (sauf *bonbon*). / Remarquez le mot composé : *tire-bouchon*.

→ Cahier d'*Activités de lecture*
Exercices p. 18

Dire ce que l'on voit quand il y en a **plusieurs**.

Lire des syllabes

Lire des groupes de mots

des cha tons
les a ffi ches
des ru ches

tes bi joux
ses ba bi nes
les hé ri ssons

ses sa bots
mes sous
des pen sées

Lire un texte

Assis dans le canapé, Noé lit *Les Aventures d'Élouan.* Noé ne s'occupe pas de Jules, son chat. Jules s'ennuie. « Tant pis ! Je déroule les pelotes de sa mamie ! », pense Jules. Jules emmêle tous les fils.

Mécontent, Noé se lève d'un bond et dit : « Jules, tu es un polisson. Arrête immédiatement ! »

Jules, tu es un polisson.

Remarquez qu'il faut deux lettres pour faire « **è** » dans **des**, d'abord une voyelle (**e**), puis une consonne (**s**) et que l'on n'entend ni le « **e** » ni le « **s** ». / Précisez que *les, mes, des, tes, ses* indiquent le pluriel (plusieurs) et que le nom qui suit prend un **s** ou un ***x*** que l'on n'entend pas.

→ **Cahier d'*Activités de lecture***
Exercices p. 19

Chercher et prononcer les mots avec ***le son « oi »***.

Lire des syllables

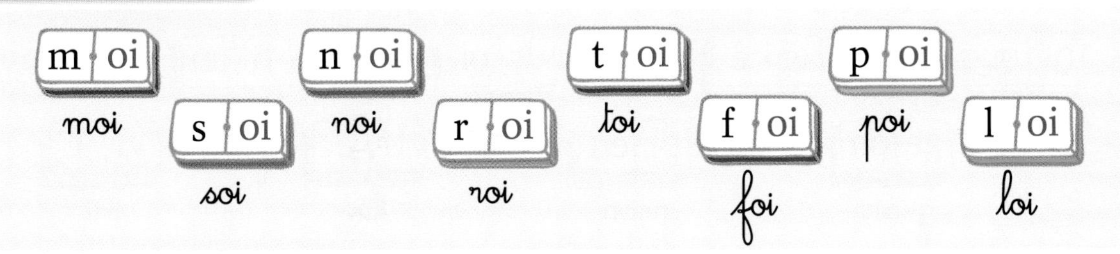

Lire des groupes de mots

u ne oie
le toit
ta voix
le poids

mes doigts
la boî te
le poi sson
voi là

la voi tu re
la pi voi ne
la pa ti noi re
le sa lon de coi ffu re

Lire un texte

« Dimanche, nous irons dans le bois et nous ramasserons des noix, dit papa.
– Oh non ! Pas là où rôde le méchant loup, dit Lila.
– Dis-moi Lila, as-tu déjà vu le loup dans le bois ?
– Non, papa.
– Tu vois, le loup rôde dans les contes, pas dans le bois. »

As-tu déjà vu le loup dans le bois ?

Remarquez qu'il faut deux voyelles : **o** puis **i** pour faire le son **« oi »** et que l'on n'entend ni le **« o »** ni le **« i »**.

→ Cahier d'*Activités de lecture*
Exercices p. 18

Chercher et prononcer les mots avec « **br** », « **cr** », « **dr** », « **gr** », « **pr** », « **tr** » ou « **vr** ».

Lire des syllabes

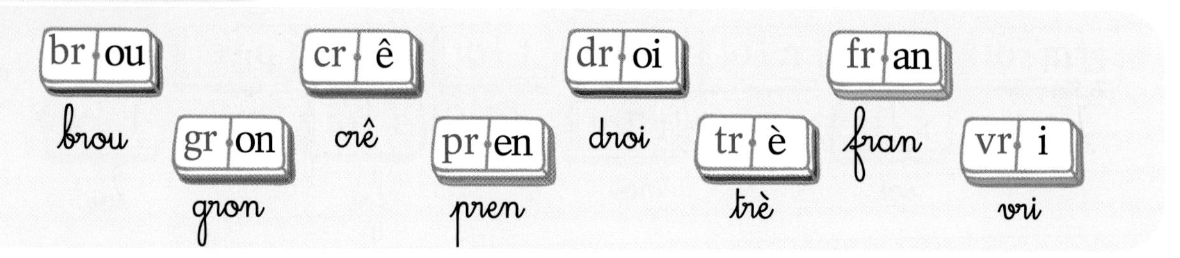

Lire des groupes de mots

la grue
u ne gro tte
la bro sse
drô le

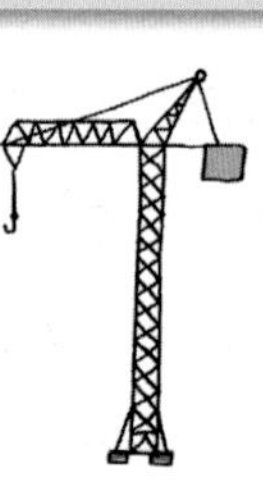

vrai
le froid
le prix
le tri cot

u ne mon tre
l'a bri cot
le bras droit
le cro co di le

Lire un texte

« Où est Ali ?, demande Noé à ses amis.
– Ali est dans son lit, répond Lila.
– Ali est malade ?, demande Mèh.
– Oui, répond Lila, sa grand-mère me l'a dit.
– Vendredi midi, à la cantine, Ali a dû prendre trop de concombre à la crème, de frites et de prunes », déclare Noé.

Ali a dû prendre trop de concombre à la crème.

Faites prononcer chaque son en le prolongeant (« **dr...** ») pour que l'enfant ressente la résonance du « **r** » roulant dans le palais associé à l'autre consonne. / Insistez sur la formation du son : d'abord **d**, puis **r**.

→ Cahier d'*Activités de lecture*
Exercices p. 20

Chercher et prononcer les mots avec « **bl** », « **fl** » ou « **gl** ».

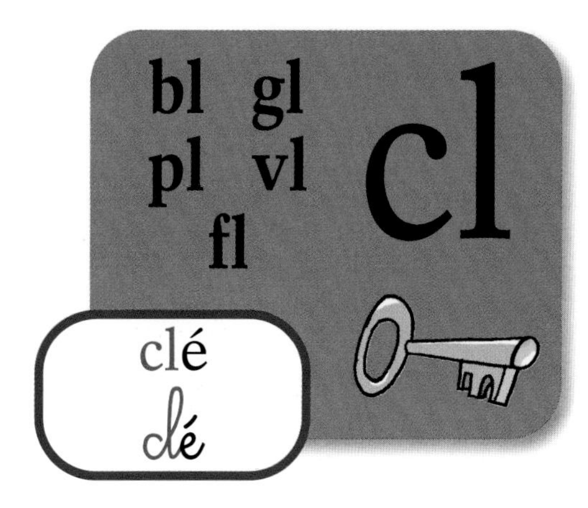

Lire des syllabes

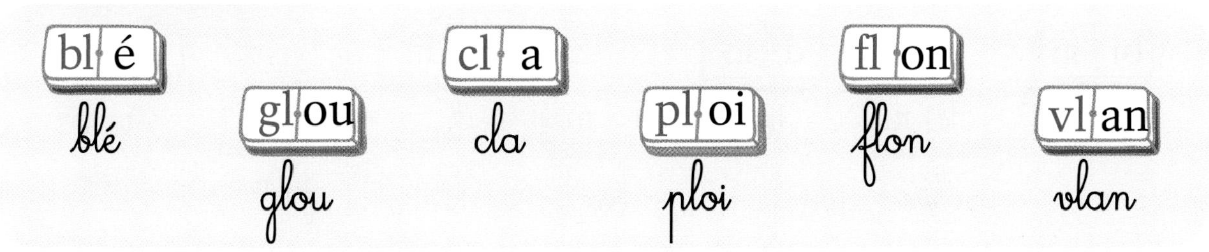

Lire des groupes de mots

blanc
la cloche
ma trousse
le globe

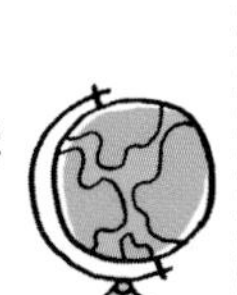

une plume
ta flûte
une flèche
le trèfle

la clôture
la planche à voile
du bon flan
une règle plate

Lire un texte

Toute la classe va à la patinoire. Noé tombe souvent.
« N'oublie pas de te tenir droit », recommande Lila à son ami.
Lila et Mèh patinent vite. Les boucles brunes de Lila flottent dans le vent et la jupe de Mèh se gonfle.
Les glissades de Lila sont réussies.
« Bravo Lila ! », crient ses amis.

Toute la classe va à la patinoire.

Remarquez que ces sons sont prononcés avec la langue. Précisez la formation de chacun d'eux en insistant sur l'ordre des lettres : d'abord **c**, puis **l**.

→ Cahier d'*Activités de lecture*
Exercices p. 20

in im un um

Chercher et prononcer les mots avec ***le son « in »***.

Lire des syllabes

Lire des groupes de mots

un câ lin
ton cou ssin
le pou ssin
le pin gouin

mes pa tins
lun di
cha cun
un bun ga low

un tim bre
la tim ba le
u ne im pa sse
un ga min im pru dent

Lire un texte

Le lundi vingt novembre, de bon matin, Ali emprunte le chemin du moulin avant de se rendre à l'école. Les pinsons chantent à tue-tête. Un lutin malin s'est caché sous une touffe de thym. Un lapin gris passe devant Ali. « Cache-toi, petit imprudent ! », dit Ali. Rapidement, Ali reprend sa route.

« Cache-toi, petit imprudent ! »

Remarquez qu'il faut d'abord une voyelle **i**, puis une consonne **n** pour faire le son **« in »** et que l'on n'entend ni le **« i »** ni le **« n »**. / Faites de même avec **« un »**. / Rappelez la particularité du **m** devant *b* et *p*. / Pour *thym*, précisez que **y** donne le son **« i »**.

→ Cahier d'*Activités de lecture*
Exercices p. 21

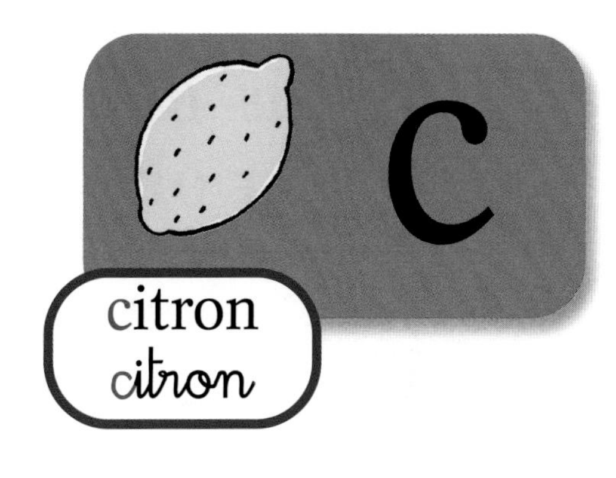

Chercher et prononcer les mots avec *le son « s »*.

Lire des syllabes

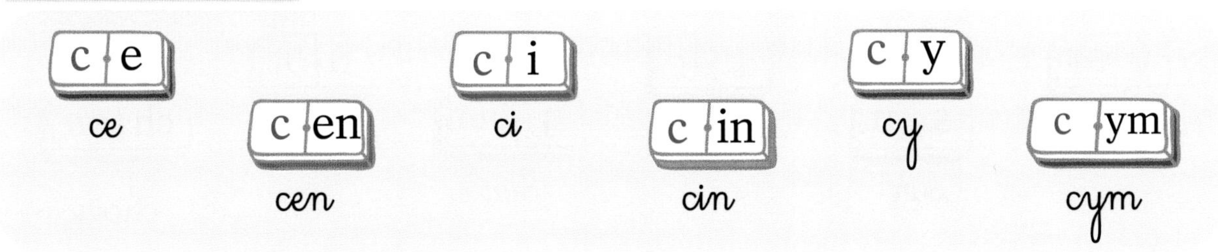

Lire des groupes de mots

du céleri
mon pouce
la racine
un incendie

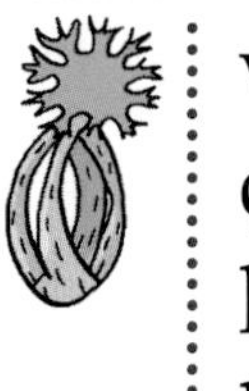

voici
ça va ?
la cymbale
la séance de cinéma

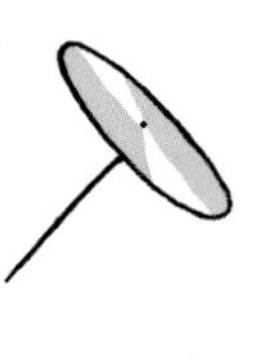

un glaçon
ton caleçon
la façade
la balançoire

Lire un texte

Une leçon difficile

Lila récite sa leçon à sa grand-mère :
« Le riz, le blé et l'avoine sont des céréales. Les limaces se nourrissent de choux.
– Bravo, ma petite Lila !, dit sa mamie. C'est une leçon difficile et tu as réussi à l'apprendre. »

Lila récite sa leçon à sa grand-mère.

Repérez que la lettre **c** fait **« s »** devant *e, i, y* et *in, en…* / Précisez que la cédille sous le c (**ç**) est indispensable pour faire **« s »** devant *a, o, u* et *on, oi, an…*

→ Cahier d'*Activités de lecture*
Exercices p. 22

Chercher et prononcer les mots avec ***les sons « ar »***, ***« ir »***, ***« or »*** ou ***« our »***.

Lire des syllabes

Lire des groupes de mots

du par fum
le gar çon
u ne sar di ne
de la mou tar de
un homme bar bu

un porc
im por tant
le cor ni chon
la guir lan de
le hur le ment

la four mi
lourd
de hors
un soir
bon soir

Lire un texte

Jules, le chat noir de Noé, est entré dans le jardin d'à côté. Médor est sorti de sa niche et l'a coursé. D'un bond, Jules a grimpé sur le mur d'en face. Et Médor n'a même pas pu le mordre. C'est Jules le plus malin et le plus fort. Ne crois-tu pas ?

C'est Jules le plus malin et le plus fort.

Insistez sur la formation du son : d'abord **a**, puis **r** pour faire **« ar »** où l'on entend le **« a »** puis le **« r »**.

→ Cahier d'*Activités de lecture*
Exercices p. 23

Chercher et prononcer les mots avec ***les sons « ac »***, ***« al »***, ***« ol »*** ou ***« os »***.

os oc of op ol

bol *bol*

Lire des syllabes

m al — *mal*
pl ouf — *plouf*
v ol — *vol*
gl oup — *gloup*
f il — *fil*
pl oc — *ploc*
n ul — *nul*
t ac — *tac*

Lire des groupes de mots

ton col
le lac
un sac
le che val
mon jour nal

l'as
l'os
l'ours
hop !
l'his toi re

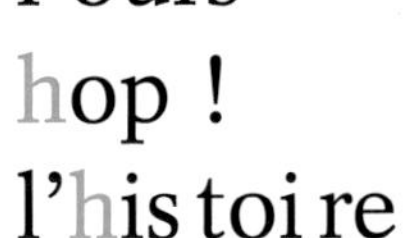

Noël
la cor de
l'hé li cop tère
a voir soif
la ré col te du ma ïs

Lire un texte

« Pour le bal du carnaval, je porte le costume d'un prince, annonce Noé.
– Et moi, l'habit d'un sultan, dit Ali.
– Un sultan coiffé d'un turban ?, demande Noé.
– Oui, répond Ali, un turban multicolore ! »

« Et moi, l'habit d'un sultan », dit Ali.

Conseil parents Précisez la formation du son : d'abord **o** puis **l** pour faire **« ol »** où l'on entend le **« o »** puis le **« l »**.

→ Cahier d'*Activités de lecture* Exercices p. 23

Chercher et prononcer les mots avec ***les sons* « è »**, « ***er*** » ou « ***es*** ».

Lire des syllabes

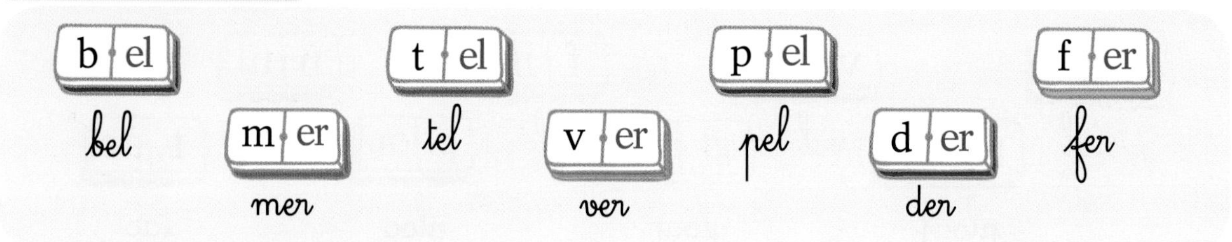

Lire des groupes de mots

la fer me
une ves te
l'hô tel
du sel de mer sec

le cerf
mer ci
hi er
le chef

le tu nnel
mer cre di
le ca ra mel
l'es ca la de

Lire un texte

Cet après-midi, Lila a décidé de lire trois fiches illustrées.
Lis-les avec elle :

Le serpent est un reptile.

Le héron attrape les poissons avec son long bec.

L'ours hiberne : il passe l'hiver à dormir dans sa caverne.

Le serpent est un reptile.

Remarquez que la lettre **e** suivie d'une consonne *(r, s, l, p, f)* à la fin d'une syllabe fait **« è »** sans avoir besoin d'un accent grave.

→ Cahier d'*Activités de lecture*
Exercices p. 24

Chercher et prononcer les mots avec ***le son « ell »*** ou « ***ett*** ».

Lire des syllabes

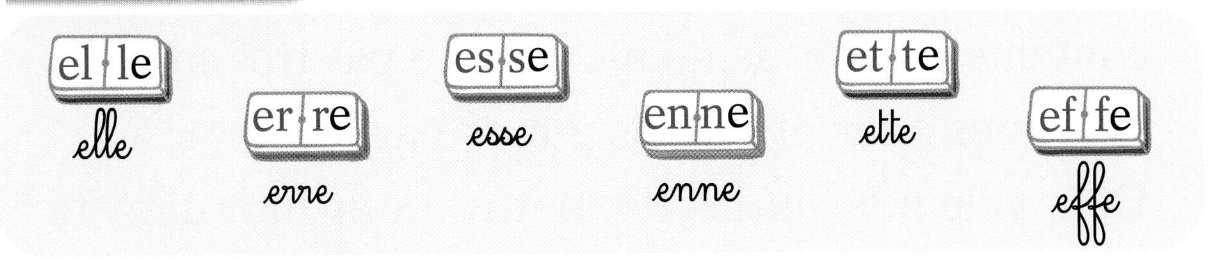

Lire des groupes de mots

un ver re
la pel le
un ef fort
le des sert

une ca res se
la les si ve
la de vi net te
la tour te rel le

la pou bel le
la ser ru re
l'o me let te
le ver de ter re

Lire un texte

Ce matin, madame Sibelle, la directrice de l'école des Hirondelles, est entrée dans la classe. Elle a dit : « Bonjour les enfants. Je vous présente Fanette et Fantine. Elles sont jumelles. À partir de ce jour, elles font partie de votre classe.
– Oh, là là !, a chuchoté Lila à Noé, comme elles se ressemblent ! On va sûrement les confondre.
– On les appellera les nouvelles ! », a proposé Noé.

« Je vous présente Fanette et Fantine. »

Précisez que la lettre **e** se lit généralement **« è »** (sans accent grave) devant une consonne double : *el le - et te - es se - ef fe - en ne.*

→ Cahier d'*Activités de lecture*
Exercices p. 24

Cher père Noël,

Je m'appelle Noé. À l'école, notre institutrice est contente de moi. Je ne me dispute pas très souvent avec mes amis et j'obéis à mes parents.
Demande à tes lutins de mettre pour moi dans ta hotte une panoplie de fantôme et une voiture téléguidée.

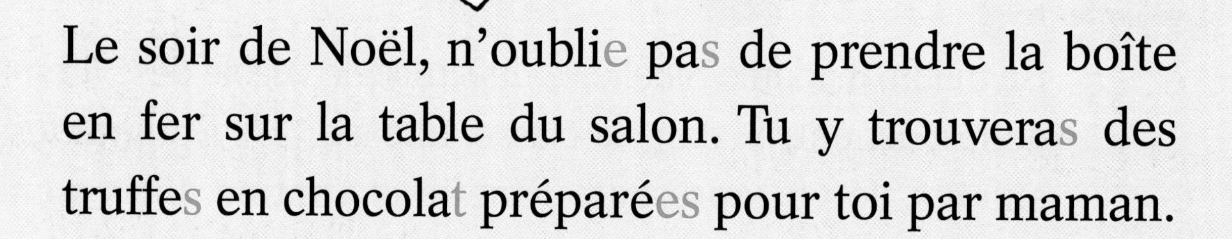

Le soir de Noël, n'oublie pas de prendre la boîte en fer sur la table du salon. Tu y trouveras des truffes en chocolat préparées pour toi par maman.

Je t'embrasse fort,

Noé

Vive le roi !

Mèh a invité Lila, Noé, Ali, Fanette et Fantine pour la galette des Rois.
Sa maman apporte sur la table une galette ronde et dorée et coupe six parts.
Mèh, la benjamine*, se cache sous la table et dit :
« Cette part, c'est pour Noé ;
celle-là, pour Lila ;
celle-ci, pour Ali ;
ça, c'est pour Fantine ;
et ça, pour Fanette ;
et celle-là, pour moi ! »
Les enfants dégustent la galette en espérant avoir la fève. Tout à coup, Ali montre à tout le monde un joli petit hérisson marron : c'est la fève !
« Vive le roi ! », crient ses amis.
Et Ali, très content, se coiffe de la couronne.

* Mèh est la benjamine, car elle est née la dernière dans le groupe de ses invités. On lit [bin]jamine.

Chercher et prononcer les mots avec ***le son « k »***.

Lire des syllabes

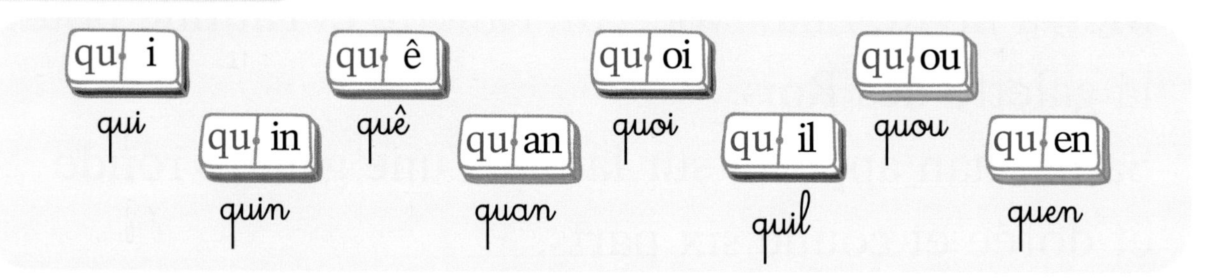

Lire des groupes de mots

le coq
le cir que
la bar que
du plas ti que

quel
quand
cinq
le re quin

qua ran te
cin quan te
n'im por te quoi
quel que part

50

Lire un texte

« Pique-niqueras-tu dimanche ?, demande Noé à Lila.
– Oui, répond-elle.
– Où iras-tu ?
– Dans un champ de coquelicots.
– Avec qui passeras-tu la journée ?
– Avec mes parents et mes deux frères. Nous serons cinq.
– Alors, bon dimanche, Lila !
– Merci, Noé ! Toi de même ! »

« Pique-niqueras-tu dimanche ? »

Remarquez la deuxième écriture du son **« k »**. Précisez la formation du son avec **q** d'abord, suivi de **u**. Pour *coq* et *cinq*, repérez que la lettre **q** est seule mais qu'on entend le même son **« k »** en fin de mot. / La liaison *répond-elle* se lit *t-elle*.

→ Cahier d'*Activités de lecture*
Exercices p. 28

Chercher et prononcer les mots avec **le son « z »**.

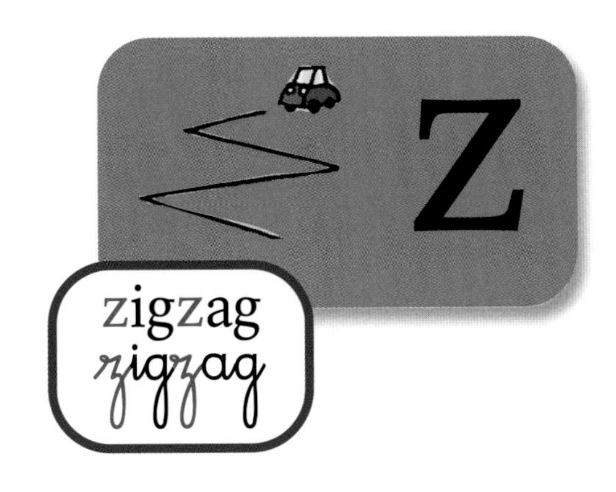

Lire des syllabes

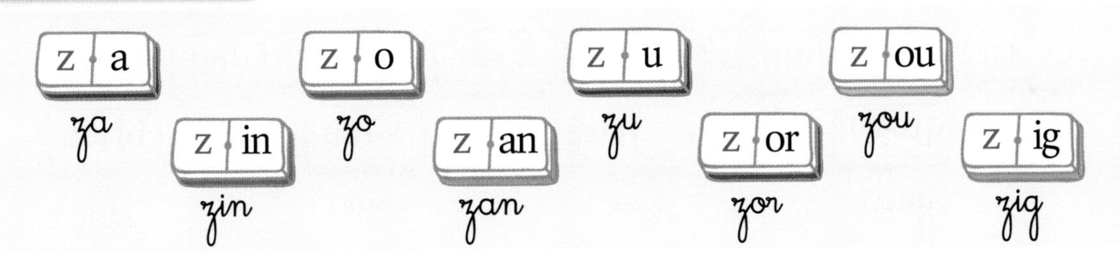

Lire des groupes de mots

zé ro
on ze
qua tor ze
quin ze

le zo o
le zè bre
le lé zard
le ba zar

du gaz
la ga zel le
l'ho ri zon
un ma ga zi ne

Lire un texte

Lila récite à ses parents la comptine qu'elle a apprise :
« Dans le zoo du bout de ma rue
Nous avons vu
Un zébu venant de Madagascar ;
Un gros lézard arrivé de Zanzibar ;
Un zèbre, une gazelle et un ouistiti
Débarqués tout droit de Tanzanie.
Quel safari ! »

Nous avons vu un zébu venant de Madagascar.

Conseil parents : Prononcez le son **« z »** entre les dents. / Précisez que la lettre **z** utilisée pour faire **« z »** ne se rencontre pas souvent.

→ Cahier d'*Activités de lecture*
Exercices p. 28

Chercher et prononcer les mots avec ***le son « eu »***.

Lire des syllabes

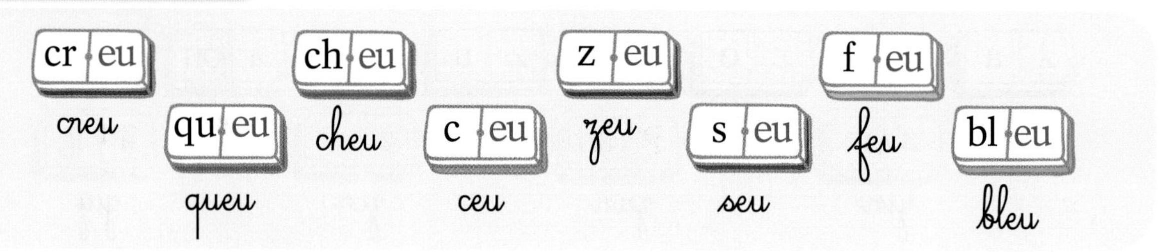

Lire des groupes de mots

bleu
deux
le jeu
ma boîte de feutres

vieux
peureux
heureux
le cheveu

un pneu
un vœu
des œufs
le nœud

Lire un texte

« Noé, as-tu appris ta leçon pour jeudi ?, demande sa maman.
– Euh !… Euh !… Euh !…, répond Noé.
– Euh : je crois que cela veut dire non, n'est-ce pas ?
– Oui, maman.
– Alors Noé, pourquoi ne me dis-tu pas que tu as joué avec ta console de jeux vidéo à la place d'apprendre ta leçon ?
– Euh !… Euh !…, dit Noé.
– Tant pis pour toi ! Je te confisque ta console jusqu'à nouvel ordre. »

« Noé, as-tu appris ta leçon pour jeudi ? »

Remarquez la formation du son avec **e** d'abord suivi de **u** et que l'on n'entend ni le **« e »** ni le **« u »**. Prononcez le son avec l'enfant en insistant afin de remarquer la formation des lèvres. / Pour **œu**, précisez que cela concerne peu de mots.

→ Cahier d'*Activités de lecture*
Exercices p. 29

Chercher et prononcer les mots avec ***le son « et »***.

Lire des syllabes

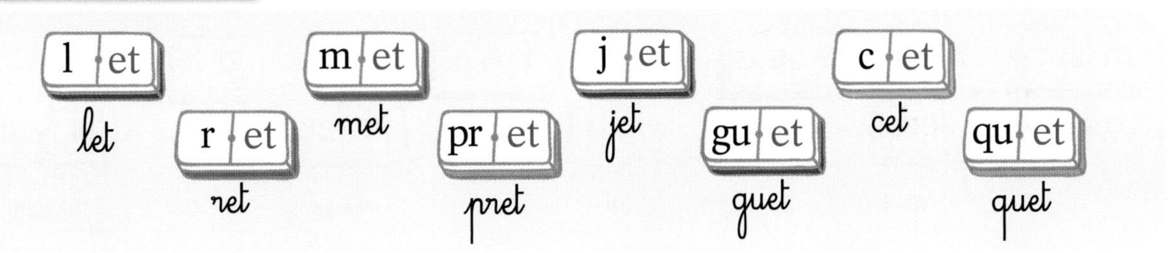

Lire des groupes de mots

le rou et
ton jou et
le vo let
ê tre mu et

ce tra jet
le ba sset
mes la cets
son bo nnet

un ga let
le go be let
le pis to let
le ro bi net

Lire un texte

Hoc, hoc, hoquet…

Que t'arrive-t-il, perroquet
Perché sur ton tabouret ?
As-tu avalé un hochet
Ou est-ce le hoquet
Qui te secoue sans arrêt ?
« Hoc, hoc, hoquet… »,
Répond le perroquet.

Que t'arrive-t-il, perroquet ?

Observez la formation de **et** qui se prononce **« ê »** : **e**, puis **t** sans entendre ni le **« e »** ni le **« t »**. / Précisez que dans la lecture, ce son est à la fin des mots. / Rappelez que le petit mot *et* se lit **« é »**.

→ Cahier d'*Activités de lecture*
Exercices p. 29

Chercher et prononcer les mots avec ***le son « eur »***.

Lire des syllabes

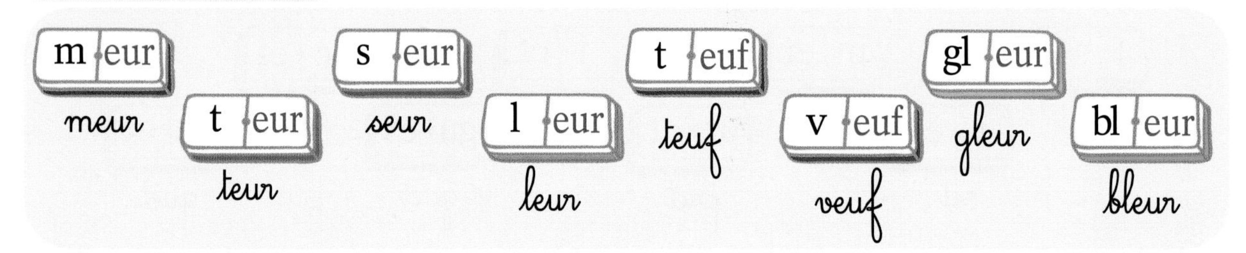

Lire des groupes de mots

un cœur
du beurre
le chasseur
la chaleur

un joueur
ce jongleur
le pêcheur
avoir peur

un tracteur
l'ordinateur
un œuf
un bœuf

Lire un texte

« Noé, tu sors ?, demande sa sœur.
– Oui, répond Noé, c'est l'heure de mon cours de judo.
– N'oublie pas le sac de déchets à mettre à la poubelle !
– Non, je l'emporte. »
Noé entre dans le local des poubelles de l'immeuble.
« Oh ! Quelle odeur, beurk !, dit-il. Vivement que les éboueurs ramassent les ordures. »
En sortant, il aperçoit la benne verte au bout de la rue.

« Oh ! Quelle odeur, beurk ! »

Remarquez qu'il y a trois lettres dans ce son et que l'on entend **« eu »** + **« r »**. / Prononcez en insistant pour observer l'ouverture de la bouche (son ouvert) en opposition avec **« eu »** (son fermé).

→ Cahier d'*Activités de lecture*
Exercices p. 30

Chercher et prononcer les mots avec ***le son* « z »**.

Lire des syllabes

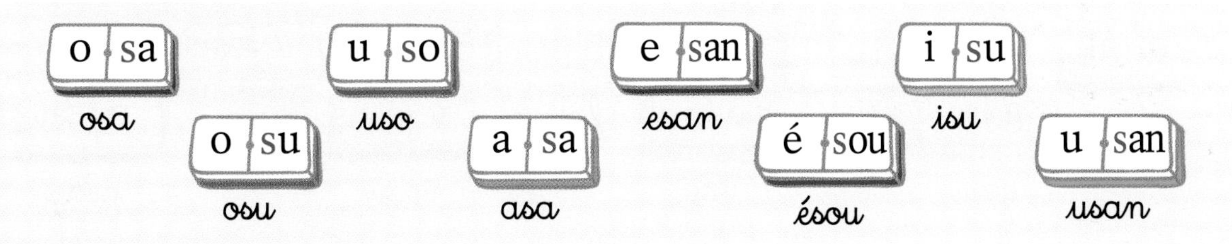

Lire des groupes de mots

choi sir
le mu sée
la mu si que
l'a rro soir

la blou se
la fu sée
la po é sie
l'ar doi se

un va se
la pe lou se
le ma ga sin
quel que cho se

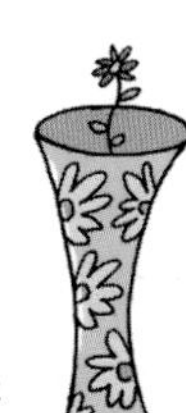

Lire un texte

« Lila, pourquoi pleures-tu ?, demande son papi.
– Parce que, dans mon rêve, la méchante fée a offert une pomme empoisonnée à la princesse qui va en mourir, répond Lila.
– Ne t'inquiète pas, dit papi, elle va seulement dormir longtemps et plus tard, un prince fera un bisou sur ses yeux pour les ouvrir.
Lila sourit à son grand-père et ajoute :
– Tant mieux car cette belle princesse est trop jeune pour mourir. »

La méchante fée a offert une pomme empoisonnée.

Prononcez le son avec insistance pour remarquer la ressemblance avec **« z »**. / Repérez la voyelle qui précède la lettre **s** et celle qui la suit : **s** fait **« z »** entre deux voyelles. / Pour faire **« s »**, il faut deux **s** (revoir p. 21).

→ Cahier d'*Activités de lecture*
Exercices p. 31

Chercher et prononcer les mots avec ***le son « o »***.

Lire des syllabes

Lire des groupes de mots

chaud
au tour
le vau tour
au ssi tôt

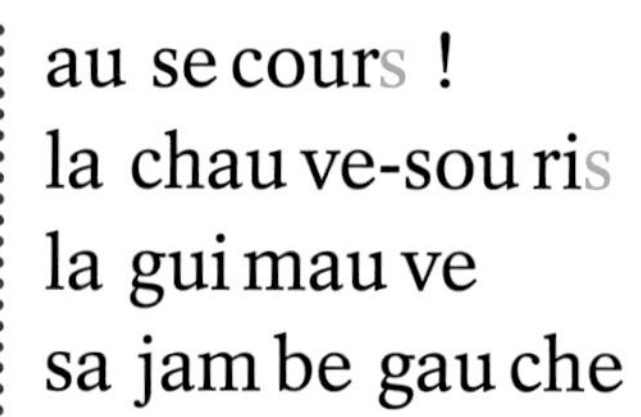

ton cha peau
des ci seaux
l'oi seau
du gâ teau

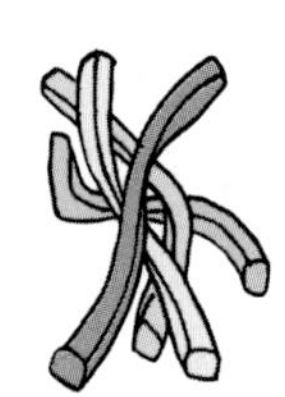

au se cours !
la chau ve-sou ris
la gui mau ve
sa jam be gau che

Lire un texte

Voici la recette de la soupe de sorcière que Lila a inventée :

Cuire dans dix litres d'eau du matin jusqu'au soir :
- une tasse de bave de crapaud ;
- deux grosses limaces jaunes ;
- trois pincées de duvet de moineau ;
- quatre plumes de corbeau ;
- cinq queues de taupes ;
- un kilo de gros pruneaux et une botte de poireaux.

Boire chaud, perché sur un escabeau !

Boire chaud, perché sur un escabeau !

Observez la formation de **au** et **eau**. Insistez sur l'ordre immuable des lettres, en particulier dans *e-a-u*.
Recensez les quatre écritures du son **« o »** connues désormais : o - ô - au - eau.

→ **Cahier d'*Activités de lecture***
Exercices p. 30

Chercher et prononcer les mots avec ***le son « j »***.

Lire des syllabes

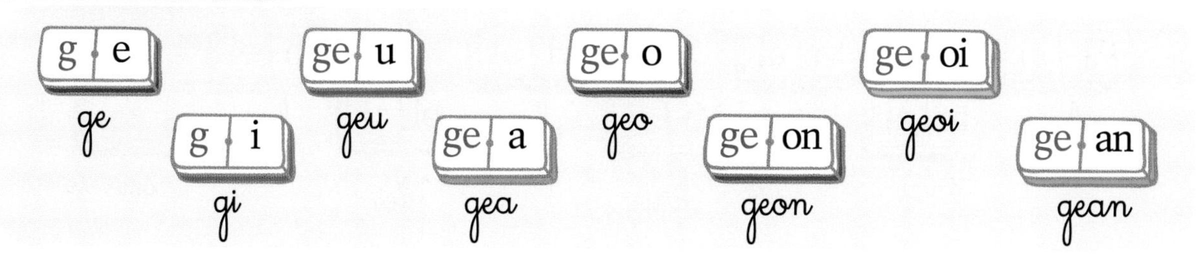

Lire des groupes de mots

le gel
le géant
la gerbe
dommage

une dragée
urgent
le manège
la gymnastique

fragile
ce bourgeon
la rougeole
une nageoire

Lire un texte

Le cirque Gibus est dans notre ville.

Lila et Noé visitent la ménagerie du cirque Gibus.
Dès l'entrée, dans la cage aux fauves, un lion et un tigre les observent.
Lila achète des cacahuètes pour les singes et les guenons.
En les mangeant, ils jetteront les restes aux pigeons qui se régaleront.
Une otarie répète son numéro en plongeant dans un grand bassin gonflable.
Quelle belle promenade !

Lila et Noé visitent la ménagerie du cirque Gibus.

Conseil parents Le son **« j »** s'écrit avec un **g** devant *e, i, y.* / Repérez la particularité du **ge** devant *a* (an-ai) et *o* (oi, on...).
Recensez les écritures du son **« j »** : **j** - **g** (devant e, i, y) - **ge** (devant *a, o*).

→ Cahier d'*Activités de lecture*
Exercices p. 32

Chercher et prononcer les mots avec ***le son « è »***.

Lire des syllabes

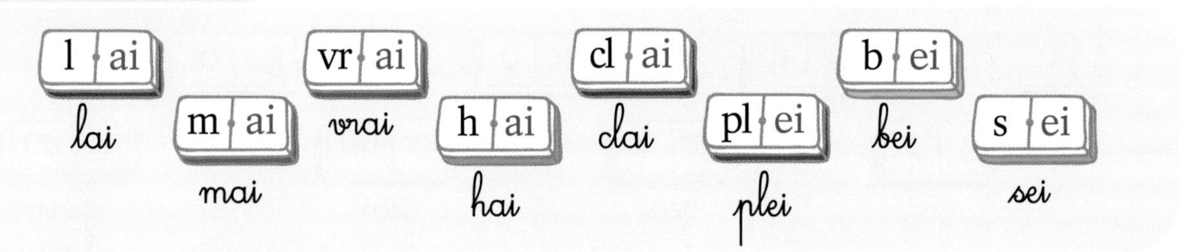

Lire des groupes de mots

seize
la neige
la baleine
avoir de la peine

une craie
la mairie
l'étoile polaire
les ailes de l'aigle

la chaise
cette caisse
notre maison
le palais de la reine

Lire un texte

En rentrant de l'école, Lila annonce à sa mère :
« La maîtresse a promis que la semaine prochaine, le lundi treize, nous fêterons les anniversaires. Elle a demandé à ceux qui sont nés en mai d'apporter un gâteau. Pourrais-je en apporter un ?
– Mais, tu n'es pas née en mai. Ton anniversaire est le vingt et un octobre, répond sa maman.
– Oui, je sais, dit Lila, mais j'ai envie que mes amis goûtent ton gâteau au chocolat ! »

« Mais, tu n'es pas née en mai. »

Observez la formation de chaque son et insistez sur l'ordre immuable des lettres. / Recensez les sept écritures connues du son **« è »** : *è - ê - ë - ei - et - ai - est.*

→ Cahier d'*Activités de lecture*
Exercices p. 33

Chercher et prononcer les mots avec ***le son « ill »***.

ill

chenille - citrouille

chenille - citrouille

Lire des syllabes

ouille

aille

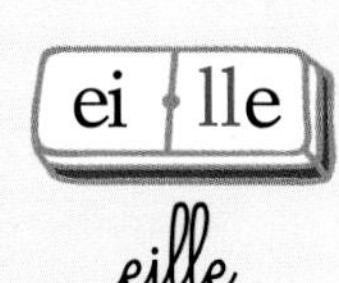

eille

euille

Lire des groupes de mots

la qui lle
cet te fi lle
un ca illou
un pa pi llon

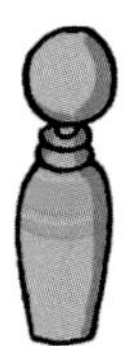

l'a bei lle
mes o rei lles
la gre nou ille
la bou illoi re

u ne ba ta ille
la bou tei lle
du ma qui lla ge
le go ri lle

Lire un texte

Lila prépare un délicieux dessert en suivant la recette :

- Remplir le fond d'une coupelle de gelée de groseilles et de myrtilles fraîches.
- Faire de la place pour une boule de glace à la vanille.
- Recouvrir de crème chantilly et de pépites de chocolat.
- Garnir avec une gaufrette craquante.

Recouvrir de crème chantilly et de pépites de chocolat.

Observez l'utilisation du **i** dans le son : *che ni lle* (« **i** » s'entend), *ci trou ille* (« **i** » ne s'entend pas).

→ Cahier d'*Activités de lecture*
Exercices p. 33

Chercher et prononcer les mots avec ***le son « in »***.

Lire des syllabes

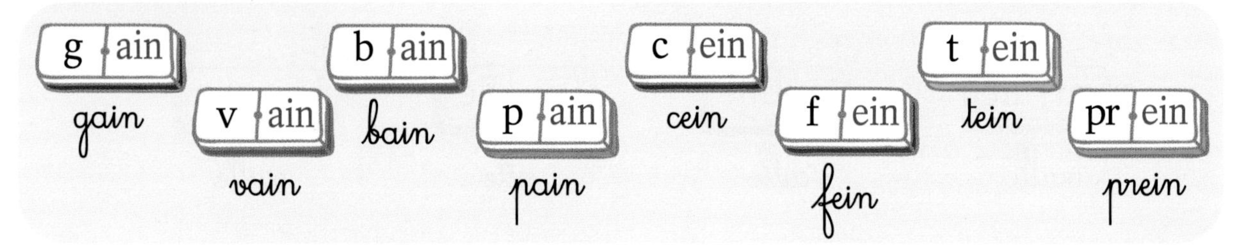

Lire des groupes de mots

le train
une main
avoir faim
le grain de raisin

des freins
peindre
la ceinture
plein de copains

soudain
maintenant
le lendemain
être craintif

Lire un texte

Cher Noé,

J'arriverai lundi prochain au train de midi vingt. Je planterai ma tente sur le terrain de ton voisin. J'espère que je pourrai nourrir son poulain comme l'année dernière.
Des nains surveillent-ils encore ton jardin ? Y a-t-il toujours du bon pain au levain à la boulangerie Martin ?

Je t'embrasse,

Romain

Des nains surveillent-ils encore ton jardin ?

Observez les deux groupes de lettres qui produisent le même son et insistez sur l'ordre immuable des lettres : *e-i-n* / *a-i-n*. / Recensez les huit écritures de **« in »** : *un - um - in - im - ym - ain - aim - ein.*
1er 2e 3e 1er 2e 3e

→ Cahier d'*Activités de lecture*
Exercices p. 34

Chercher et prononcer les mots avec ***le son « é »***.

Lire des syllabes

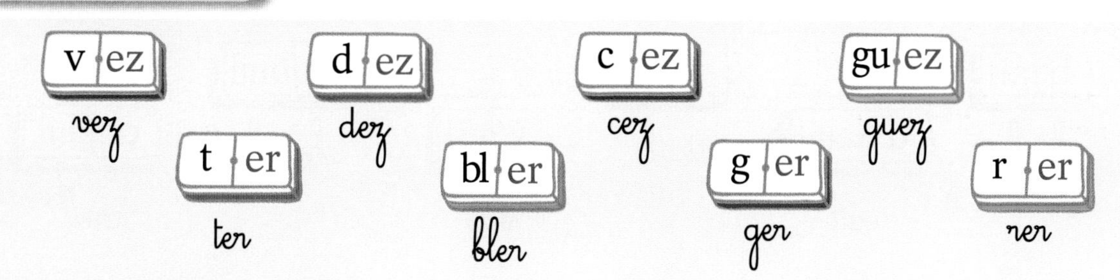

Lire des groupes de mots

le nez
chez
a ssez
ou vrez la por te

un ro cher
ton goû ter
mi au ler
le pou la iller

un sor cier
le ca hier
le po mmier
l'a bri co tier

Lire un texte

En route pour la colonie de vacances, Lila et Mèh chantent :
« Il était un petit homme,
Pirouette Cacahuète,
Il était un petit homme,
Qui avait une drôle de maison.
Sa maison est en carton.
Ses escaliers sont en papier.
Si vous voulez y monter,
Vous vous casserez le bout du nez. »

Ses escaliers sont en papier.

Conseil parents

Observez la formation du son dans les deux écritures. / Recensez les trois écritures connues du son **« é »** : *é - er - ez*.

→ Cahier d'*Activités de lecture* Exercices p. 34

Chercher et prononcer les mots avec ***le son « ail »***, ***« eil »*** ou ***« euil »***.

Lire des syllabes

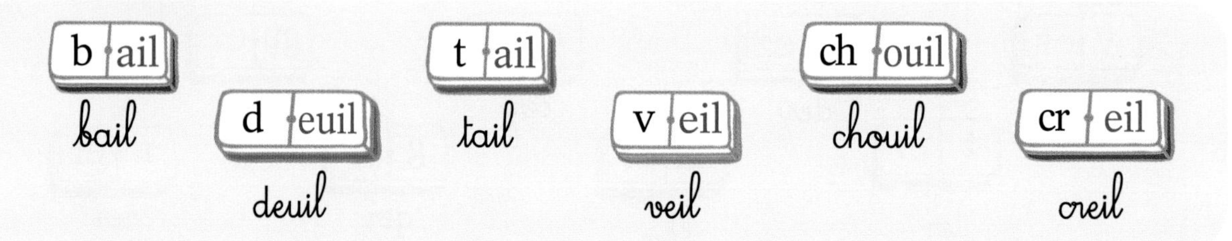

Lire des groupes de mots

le tra vail
un por tail
l'é pou van tail
un bel é ven tail

le che vreuil
ton fau teuil
du cer feuil
le seuil de la por te

du fe nouil
un con seil
le so leil
c'est pa reil

Lire un texte

« Debout, paresseux ! Ton réveil a sonné depuis longtemps. Tu vas être en retard à l'école ! »
Mais Noé ne bouge pas. Dort-il ou fait-il semblant ? Sa mère s'approche de son lit et chatouille ses orteils qui dépassent de la couette.
« Oh, non maman ! J'ai sommeil, laisse-moi dormir s'il te plaît, implore Noé qui ouvre un œil.
– Pas question, répond sa mère. Lève-toi, prépare-toi et vite ! »

Ton réveil a sonné depuis longtemps.

Observez que les écritures produisent le son **« ill »** avec seulement **il** et que le **« i »** ne s'entend pas.
Repérez que les noms en *ail - eil - euil* sont le plus souvent masculins *(un écureuil)*.

→ Cahier d'*Activités de lecture*
Exercices p. 35

Chercher et prononcer les mots avec ***le son « ui »***.

Lire des syllabes

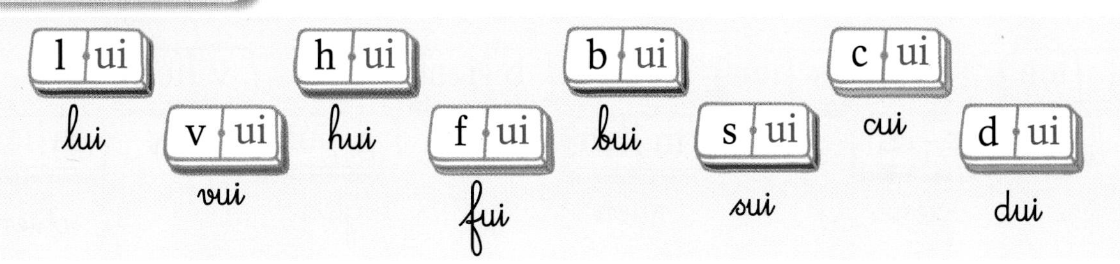

Lire des groupes de mots

une truie
le druide
l'huître
de l'huile

ma cuisse
la suite
la fuite
l'étui

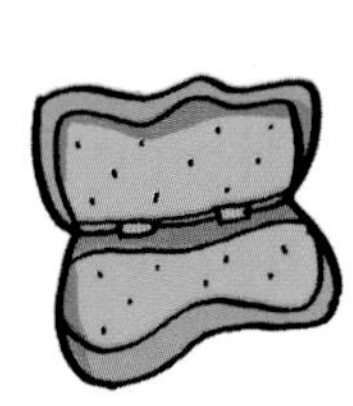

un fruit
puisque
le ruisseau
la cuisine

Lire un texte

Assis les jambes en tailleur au bout du lit, Noé lit à sa sœur une page de l'histoire :

« Pluic ! Pluic ! Pluic…
J'entends la pluie,
Pense le petit escargot gris
Qui sort les cornes sans bruit.
Oh ! Quelle veine aujourd'hui
De se promener sur le puits
Sans parapluie. »

« J'entends la pluie », pense le petit escargot gris.

Prononcez le son avec insistance pour observer la forme des lèvres (en cœur). / Remarquez que l'on entend **« u »** et **« i »** dans le son, dans l'ordre de leur assemblage.

→ Cahier d'*Activités de lecture*
Exercices p. 35

Chercher et prononcer les mots avec ***le son « ien »***.

Lire des syllabes

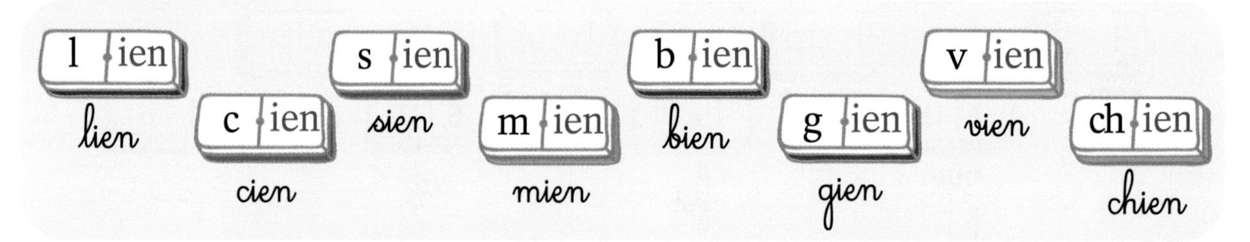

Lire des groupes de mots

rien
un lien
l'in dien
an cien

un pa ri sien
cet op ti cien
un co llé gien
un in for ma ti cien

ce mu si cien
le mé ca ni cien
l'é lec tri cien
le ma gi cien

Lire un texte

Le chien de Lila se roule sur la pelouse.
« Loulou, viens-ici tout de suite ! », ordonne Lila.
Mais Loulou n'est pas décidé à obéir.
Le gardien du jardin public s'approche de Lila en disant :
« Les chiens doivent être tenus en laisse, Mademoiselle ! Allez vite le chercher ! », ordonne le gardien.
Lila attrape enfin son chien.
« Je te tiens, petit coquin. Gare à toi si tu recommences ! »

« Allez vite le chercher ! », ordonne le gardien.

Observez la formation du son et remarquez qu'il produit un ensemble à partir de deux sons connus : **« i » + « in » = « ien »**.

→ Cahier d'*Activités de lecture*
Exercices p. 36

Chercher et prononcer les mots avec *le son « gn »*.

Lire des syllabes

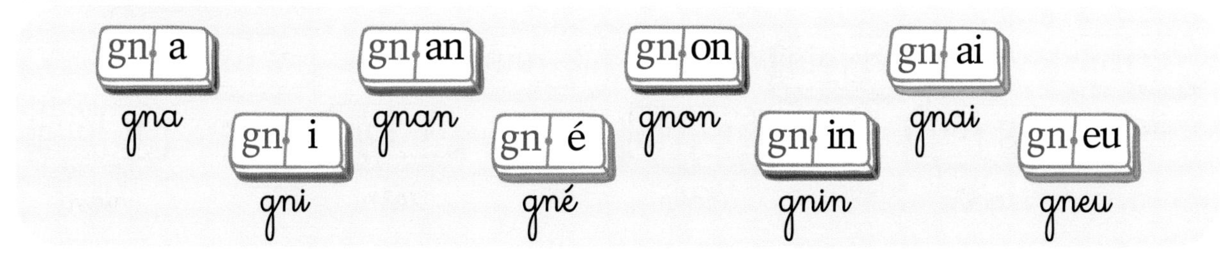

Lire des groupes de mots

la li gne
un si gne
l'a gneau
la si gna tu re

l'oi gnon
ton chi gnon
mon poi gnet
la ci go gne

un es pa gnol
ce ro ssi gnol
un com pa gnon
un cham pi gnon

Lire un texte

Lila sort de la baignoire et enfile son peignoir. Elle décide de se faire un chignon.

Un peigne à grandes dents démêle ses cheveux. Elle les rassemble derrière la tête avec une pince en forme de crabe. Avant de sortir, elle demande à sa maman :

« Comment trouves-tu mon chignon ?

– Je le trouve magnifique !, lui répond sa maman.

– Merci ! Maintenant je vais le montrer à mes amies. »

Un peigne à grandes dents démêle ses cheveux.

Prononcez en insistant pour ressentir le pincement du nez. Comparez la prononciation avec **« ni »** qui nécessite d'ouvrir les lèvres et de découvrir les dents.

→ Cahier d'*Activités de lecture*
Exercices p. 36

Chercher et prononcer les mots avec ***le son « oin »***.

Lire des syllabes

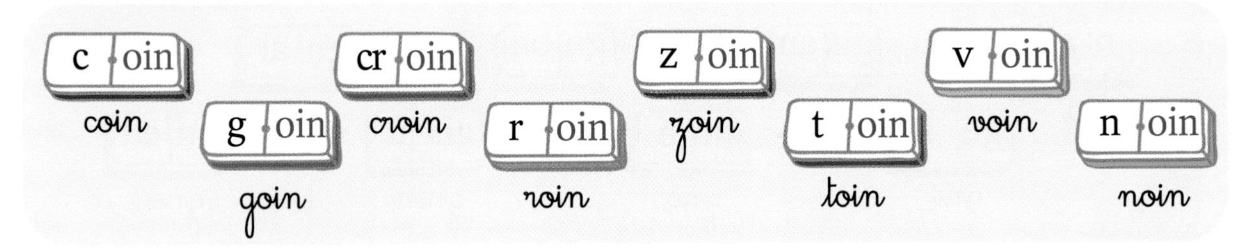

Lire des groupes de mots

un soin
loin
du foin
moins

le coin
un groin
un point
mon poing

avoir besoin
ce témoin
pointu
un rond-point

Lire un texte

À la fin de la dictée, la maîtresse a demandé à toute la classe de relire attentivement. Noé, qui n'est pas très attentif aujourd'hui, demande tout bas à Lila :

« Prête-moi ton feutre fluo s'il te plaît, j'en ai besoin.

– Ce n'est pas le moment, corrige donc ta dictée, répond Lila.

– Allez, donne ! J'ai envie de faire un dessin, insiste Noé.

– Noé, pourquoi tous ces bavardages ?, demande la maîtresse. Attention, tu vas avoir des points en moins et tu iras au coin si tu continues. »

« Attention, tu vas avoir des points en moins. »

Observez la formation du son en insistant sur l'ordre des lettres *o* - *i* - *n* (1 2 3) pour éviter la confusion éventuelle avec « **ion** ».

→ Cahier d'*Activités de lecture*
Exercices p. 37

Chercher et prononcer les mots avec *le son « k »*.

Lire des syllabes

Lire des groupes de mots

un anorak
le kiosque
le canoë-kayak
du papier kraft

la kermesse
un kilomètre
un kilogramme
le karaté

le chœur
la chorale
un chronomètre
le chrysanthème

Lire un texte

« Moi, annonce Noé, quand je serai grand, je serai chef d'orchestre pour diriger les musiciens.

– Moi, dit Lila, je serai kinésithérapeute pour masser les gens qui souffrent.

– Et moi, je serai journaliste. J'irai en Australie faire un reportage sur les kangourous et les koalas, dit Mèh.

– Et toi, Ali ?, demande Lila.

– Je serai un militaire coiffé d'un képi kaki », dit Ali.

« Moi, dit Lila, je serai kinésithérapeute. »

Repérez la différence entre les deux écritures du son **« k »** : une lettre **k** et deux lettres **ch**. / Recenser les trois écritures connues du son **« k »** : *c (a / o / u) - k - ch*

→ Cahier d'*Activités de lecture* Exercices p. 37

Chercher et prononcer les mots avec ***le son « gz »***, ***« ks »***.

Lire des syllabes

Lire des groupes de mots

un tex te
la bo xe
un ré fle xe
l'ex tra ter res tre

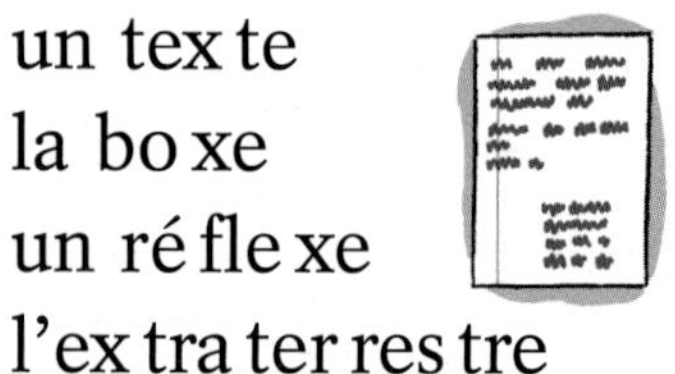

le fax
une ex cur sion
l'ex plo ra teur
ex tra or dinai re

e xis ter
l'e xem ple
l'e xer ci ce
l'he xa go ne

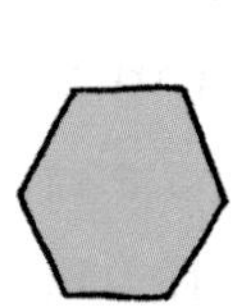

Lire un texte

Pour se rendre en vacances, Lila et ses parents ont pris le train express régional puis un taxi pour les conduire à leur hôtel. Juste avant d'arriver, le chauffeur a dû s'arrêter parce qu'un camion de livraison bloquait la rue. Après plusieurs coups de klaxon, le conducteur du camion est arrivé et a dit :

« Veuillez m'excuser, je pars immédiatement.

– Nous serons à votre hôtel dans moins de cinq minutes », a alors annoncé le chauffeur du taxi.

« Veuillez m'excuser, je pars immédiatement. »

Remarquez la différence de sons entre les deux mots repères **« ks »** *(saxophone)* et **« gz »** *(xylophone)*.

→ Cahier d'*Activités de lecture*
Exercices p. 38

Chercher et prononcer les mots avec **le son « ill »**.

crayon

crayon

Lire des syllabes

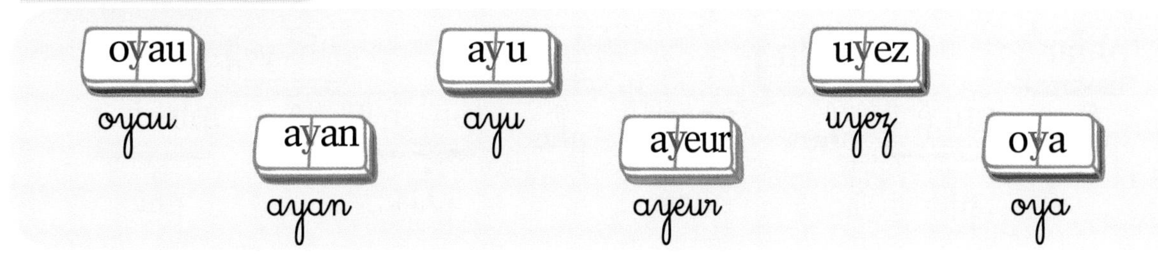

Lire des groupes de mots

le noyau
mon voyage
une voyelle
aboyer

le rayon
ce pays
un paysan
payer

le tuyau
l'écuyère
essuyer
s'appuyer

Lire un texte

Ce matin, Lila a une histoire incroyable à raconter à ses amis :
« Figurez-vous que cette nuit des petits bruits bizarres m'ont réveillée. En m'asseyant sur mon lit, j'ai aperçu un monstre tout riquiqui qui voyageait sur la tapisserie de ma chambre. Tout bleu avec des petits yeux brillants, il était très élégant dans son costume à rayures. Il galopait comme un écuyer sur un cheval noir et saluait au passage les chiens qui aboyaient pour lui dire bonjour. Puis il a sauté à califourchon sur un rayon de soleil avant de disparaître. »

Lila a une histoire incroyable à raconter à ses amis.

Remarquez que **y** a la valeur de deux **i** *(crayon)*. / Repérez dans chaque mot les voyelles qui encadrent **y**.

→ Cahier d'*Activités de lecture*
Exercices p. 38

Chercher et prononcer les mots avec ***le son « f »***.

Lire des syllabes

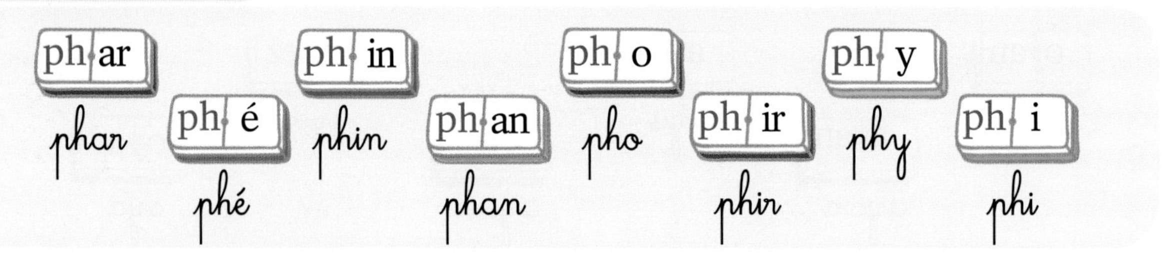

Lire des groupes de mots

une phrase
le phare
un dauphin
un nénuphar

la pharmacie
un phénomène
une photocopie
cette photographie

l'alphabet
la géographie
l'orthographe
une catastrophe

A B C D E F
G H I J K L
M N O P Q R
S T U V
W X Y Z

Lire un texte

« Pendant la sortie du mois de juin, je photographierai tous les élèves de la classe, dit Noé.

– Que feras-tu de tes photos ?, demande Lila.

– Je les rangerai dans un album et j'écrirai sans faute d'orthographe le nom de nos camarades, répond Noé.

– Je suis sûre que la maîtresse fera comme toi mais elle prendra les photos avec son téléphone portable et elle les enregistrera dans son ordinateur », ajoute Lila.

Que feras-tu de tes photos ?

Remarquez qu'il faut deux lettres pour faire **« f »** et que l'on n'entend ni le **p** ni le **h**. / Précisez que le son écrit **ph** se rencontre moins souvent qu'avec **f**.

→ Cahier d'*Activités de lecture*
Exercices p. 39

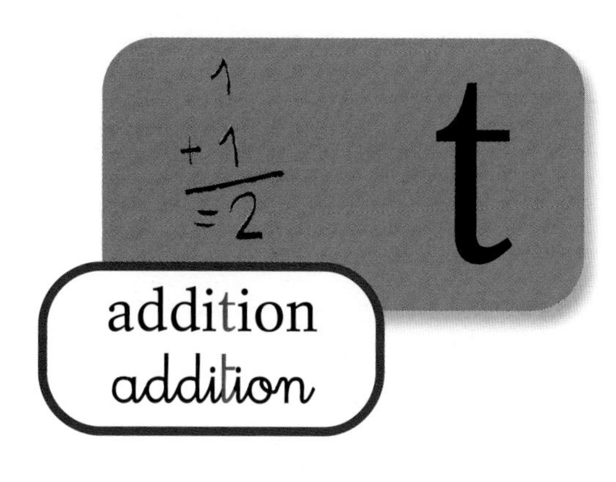

addition
addition

Chercher et prononcer les mots avec ***le son « s »***.

Lire des syllabes

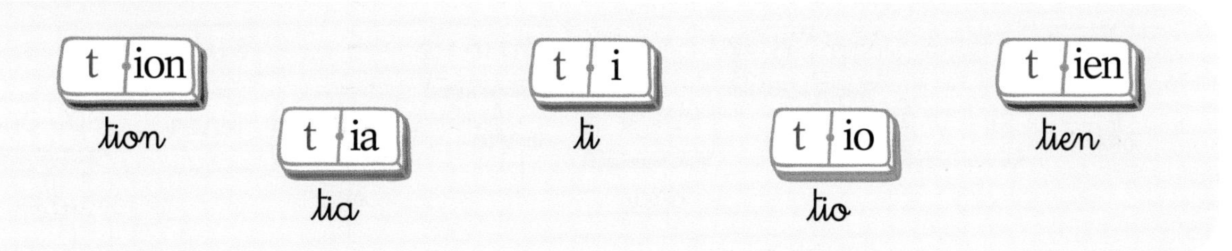

Lire des groupes de mots

la na ta tion
cet te di rec tion
la dé co ra tion
l'ex pli ca tion

u ne con di tion
ta ré ci ta tion
la ré pa ra tion
la fa bri ca tion

l'i ni tia le
la pa tien ce
l'a cro ba tie
le jeu de cons truc tion

Luc

Lire un texte

« Que penses-tu de la poésie que j'ai inventée ?, demande Lila.
Écoute :
Pauvre calculette ! Elle en perd la tête !
Il lui faut calculer, sans lever le bout de son nez :
Les additions, les soustractions, les multiplications...
Et attention ! Pas d'erreurs d'opération... sinon, pas de récréation !
– C'est drôlement rigolo. Elle me plaît. J'aimerais bien l'apprendre ! »,
lui répond Noé.

Et attention ! Pas d'erreurs d'opération...

Remarquez que très peu de mots ont un **t** qui fait **« s »**.

→ Cahier d'*Activités de lecture*
Exercices p. 39

Chercher et prononcer les mots avec ***le son « sk »***, ***« sp »*** ou ***« st »***.

Lire des syllabes

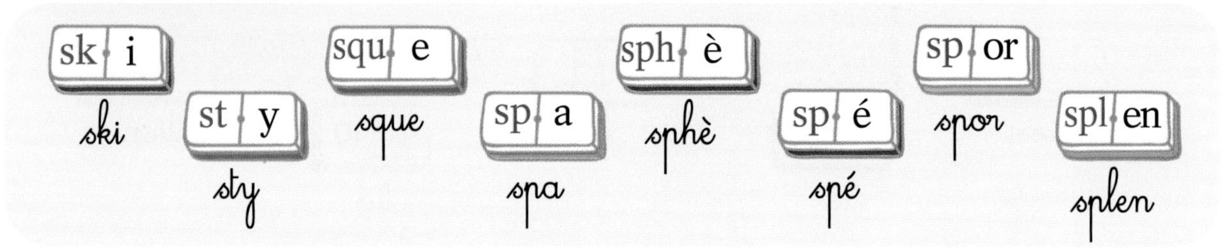

Lire des groupes de mots

un slip
le ski eur
la ski eu se
le sque let te

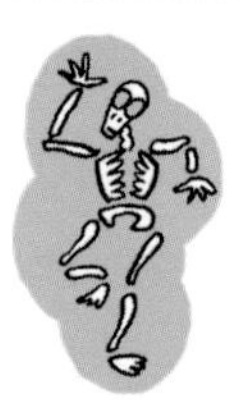

stop
le sta de
mon sty lo
un spec ta cle

u ne spi ra le
un spor tif
u ne spor ti ve
la sta tion-ser vi ce

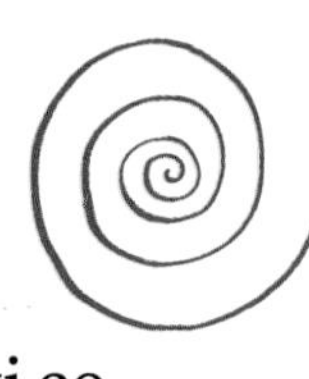

Lire un texte

Bientôt les vacances d'hiver

« Mes grands-parents ont loué un studio dans une station de sports d'hiver. Je les y rejoindrai dès que les vacances arriveront pour faire du ski, annonce Noé. Regarde comme c'est beau !

– C'est splendide !, s'exclame Lila. Sais-tu skier ?

– Non, je vais apprendre. À la fin du séjour, j'obtiendrai peut-être mon flocon qui récompense les skieurs débutants, répond Noé.

– N'oublie pas de m'envoyer une carte postale », ajoute Lila.

« Sais-tu skier ? »

Remarquez que les deux lettres associées se prononcent à la suite **« s »**, puis **« t »**. Faites prononcer en traînant sur la suite des deux sons **« s...t »** ; **« s...p »** ; **« s...qu »**.

→ Cahier d'*Activités de lecture*
Exercices p. 40

Drôles de mots !

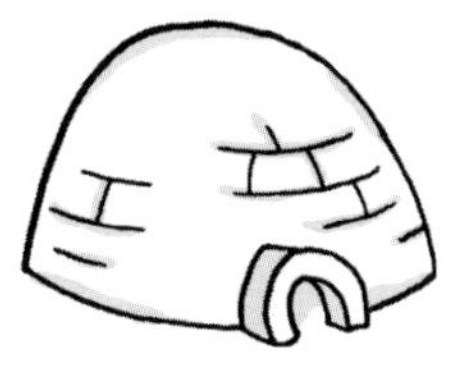
igloo

hamster

femme

aquarium

album

géranium

wagon

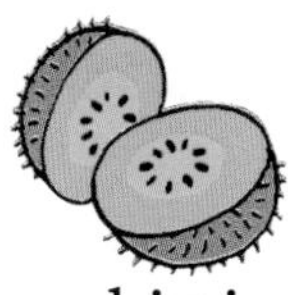
kiwi

wapiti

Certains mots du langage courant sont empruntés à la langue anglaise, ce qui explique leur prononciation particulière.

steak

sandwich

camping

chewing-gum

flash

parking

Il en va de même pour ces mots empruntés à la langue italienne.

spaghettis

pizza

Le calendrier

les douze mois de l'année

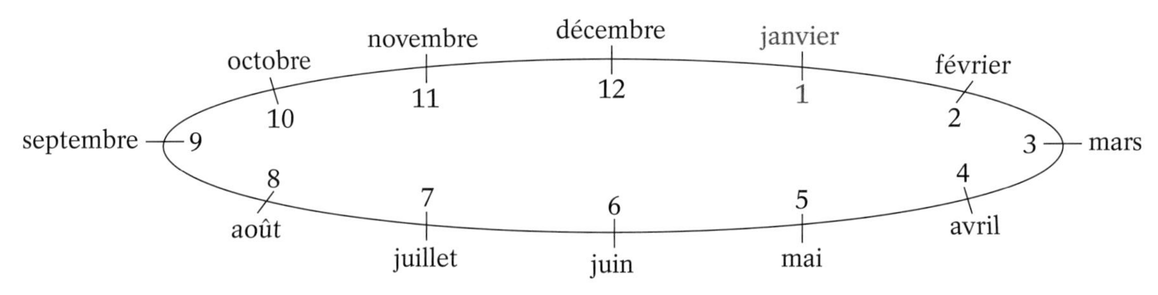

les sept jours de la semaine

les quatre saisons

printemps

été

automne

hiver

au fil des mois

• **janvier**

Le premier jour de l'année, on s'embrasse pour se souhaiter la **bonne année**.

Le jour de la galette des rois, celui qui trouve la **fève** dans sa part de gâteau devient le **roi**.

• **février**

La coutume veut que ce jour-là, on fasse sauter les **crêpes** une pièce dans la main pour être riche toute l'année.

C'est le moment de sortir les **déguisements**.

• **avril**

C'est le jour des **farces** que l'on fait à ses amis en leur accrochant un **poisson** dans le dos.

Les enfants cherchent les **œufs** en chocolat cachés dans le jardin.

• **octobre**

Les **citrouilles** s'illuminent dans les jardins et les maisons pour la fête d'**Halloween**.

• **décembre**

C'est **Noël** ! Au pied du **sapin**, les enfants ouvrent les cadeaux que le **père Noël** leur a apportés.

Les nombres

les unités

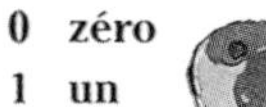
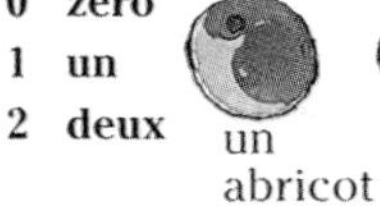
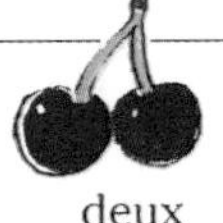
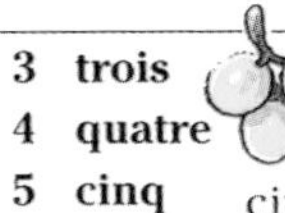

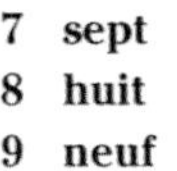

0	**zéro**	**3**	**trois**	**7**	**sept**
1	**un**	**4**	**quatre**	**8**	**huit**
2	**deux**	**5**	**cinq**	**9**	**neuf**
		6	**six**		

un abricot — deux cerises — cinq grains de raisin — huit noisettes

les dizaines

10	**dix**	**21**	**vingt et un**	**50**	**cinquante**
11	**onze**	**22**	**vingt-deux**	**53**	**cinquante-trois**
12	**douze**	**30**	**trente**	**60**	**soixante**
13	**treize**	**31**	**trente et un**	**64**	**soixante-quatre**
14	**quatorze**			**70**	**soixante-dix**
15	**quinze**			**71**	**soixante et onze**
16	**seize**			**72**	**soixante-douze**
17	**dix-sept**			**80**	**quatre-vingts**
18	**dix-huit**			**88**	**quatre-vingt-huit**
19	**dix-neuf**	**40**	**quarante**	**90**	**quatre-vingt-dix**
20	**vingt**	**42**	**quarante-deux**	**99**	**quatre-vingt-dix-neuf**

dix coccinelles

une douzaine d'œufs

trente et une fourmis

les centaines

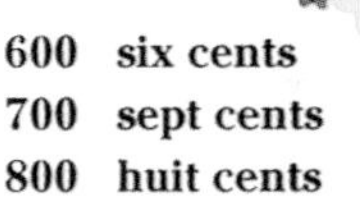

100	**cent**	**203**	**deux cent trois**		
101	**cent un**	**220**	**deux cent vingt**	**600**	**six cents**
102	**cent deux**	**300**	**trois cents**	**700**	**sept cents**
110	**cent dix**	**400**	**quatre cents**	**800**	**huit cents**
200	**deux cents**	**500**	**cinq cents**	**900**	**neuf cents**

des centaines de papillons

les milliers

1 000	**mille**
2 000	**deux mille**
10 000	**dix mille**

des milliers d'étoiles

le rangement dans l'ordre

Les mots qui se ressemblent

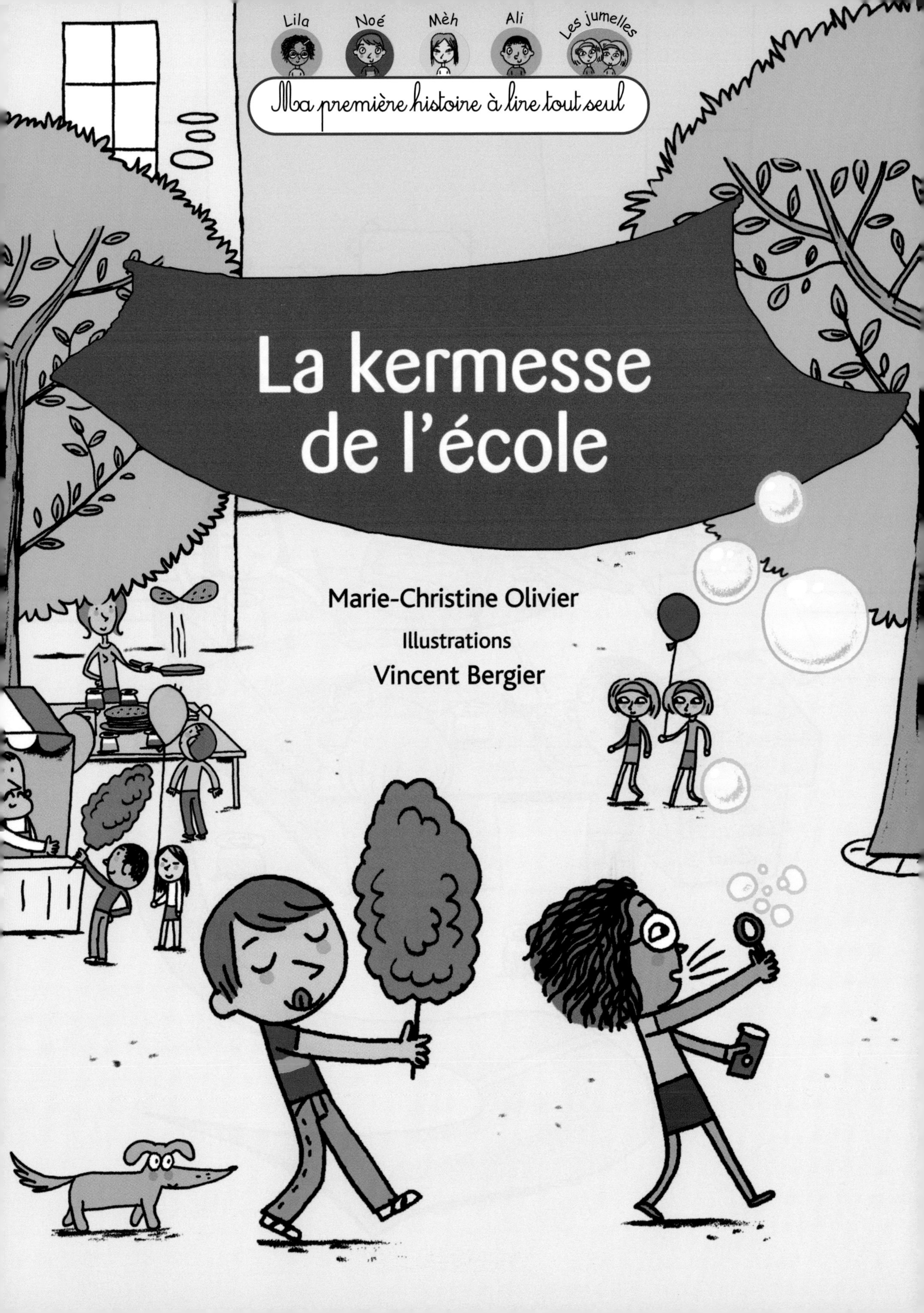
Lila
Noé
Mèh
Ali
Les jumelles
Ma première histoire à lire tout seul
La kermesse de l'école
Marie-Christine Olivier
Illustrations
Vincent Bergier

Aujourd'hui, c'est la kermesse de l'école. Depuis une semaine, on ne parle plus que d'elle entre nous, surtout pendant les récréations. En classe, nous avons peint la banderole aux couleurs de l'arc-en-ciel qui sera tendue entre deux arbres de la cour.

Hier, madame Sibelle, la directrice, a donné un carnet de cinq tickets à chaque élève. Le soir, je les ai glissés dans la poche de ma veste pour ne pas les oublier. Je ne sais pas encore à quel stand je vais les utiliser mais je suis sûre que je vais bien m'amuser.

BIENVENUE

Noé, Ali, Mèh, les jumelles et moi, on s’est donné rendez-vous à neuf heures pour ne pas rater l’ouverture des portes. Comme il fait beau, les stands ont été installés dans la cour. Noé et moi, nous avons repéré tout de suite le stand tenu par nos papas.

« Venez, on va à la pêche à la ligne ! », dit Noé.

Là, en échange d’un ticket, chacun reçoit une canne à pêche.

« Il faut pêcher cinq canards pour avoir un cadeau, annonce mon père.

– J’en ai un !, crie Ali.

– Moi aussi ! », répond Fantine.

Moi, je n’ai rien dit, mais j’ai gagné un cadeau : un tube rempli de produit pour faire des bulles.

« Tu me le prêteras ?, demande Noé qui n’a rien gagné.

– Bien sûr ! »

« Et si on faisait la course en sac ?, propose Ali.
– Allez-y sans nous, disent les jumelles, mais on va vous regarder. »
On enfile chacun un sac que l'on serre à la taille avec une ficelle.
« Prêts ? Partez ! »
Ali bondit et devance tout le monde. Tout à coup, il tombe à genoux et abandonne. Cette fois, je n'ai pas de chance : la ficelle se desserre autour de ma taille et mon sac glisse à mes pieds. Il ne reste que Noé et Mèh en course. Qui va gagner ?
Un dernier bond et Mèh franchit la ligne.
« J'ai gagné ! Super ! », crie-t-elle.

« Je vais au stand des gâteaux préparés par les mamans. Ils ont l'air drôlement appétissants, annonce Mèh.
– On te suit », disent en chœur Ali et Fanette.
Noé, Fantine et moi, nous allons voir monsieur Diégo, notre voisin, qui a installé sa jolie charrette à l'ombre d'un marronnier.
« Bonjour monsieur Diégo, dit Noé, une barbe à papa, s'il vous plaît !
– Rose ou verte ?, demande monsieur Diégo.
– Une rose pour Lila et une verte pour Fantine et moi », répond Noé.
Nous nous sommes tous régalés.
Sur le chemin du retour, en faisant de grosses bulles qui montent vers le ciel ou s'écrasent sur le sol, je suis contente. Quelle belle journée !

Table des matières

MAQUETTE : C. JÉGOU.
MISE EN PAGE : FACOMPO.

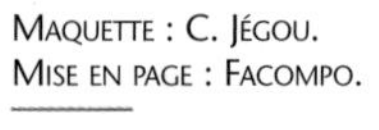

N° éditeur : 1022045
Dépôt légal : janvier 2016
Imprimé en France
par Loire Offset Titoulet